Diogenes Tasch

d
tu
be

Ingrid Noll

Ehrenwort

Roman

Diogenes

Die Erstausgabe
erschien 2010 im Diogenes Verlag
Umschlagillustration:
Georges de La Tour, ›La Diseuse
de bonne aventure‹, 1633/39
(Ausschnitt)

Für meine Schwester Ute
1939–2010

Veröffentlicht als Diogenes Taschenbuch, 2012
Alle Rechte vorbehalten
Copyright © 2010
Diogenes Verlag AG Zürich
www.diogenes.ch
800/12/8/1
ISBN 978 3 257 24095 5

»Kopf oder Schwanz?«, fragte die Großmutter immer, wenn sie den Vanillepudding aus der Form gestürzt hatte und anschließend verteilte. Da Mizzi mit der Antwort schneller war als ihr kleiner Bruder, landete der Schwanz bei Max. Mit kindlicher Grausamkeit malte ihm seine Schwester aus, was da alles auf seinem Teller lag. Daraufhin verekelte Max ihr den Kopf: Im Maul steckte bestimmt ein Wurm, und erst die glotzenden Fischaugen! Die Eltern und die beiden Alten machten sich ungerührt über den Bauch her.

Nachdem die Großmutter gestorben war, wurde die Fischform nicht mehr gebraucht, doch sie hing immer noch in der Küche. Mittlerweile wusste Max auch, was sich dahinter verbarg: der Schlüssel für den kleinen Tresor, der in den Tiefen des Küchenbuffets angeschraubt war. Noch heute, viele Jahre später, erinnerte sich Max bei jedem Besuch an Großmutters leckeren Vanillepudding und daran, wie es nach Zimt, Äpfeln und Zitrone duftete. Heute roch es leider anders, der Witwer lüftete kaum und rauchte ständig.

Seit Max einen Führerschein besaß, war er für seinen Opa zuständig, tauschte Glühbirnen aus, mähte Rasen oder brachte einen Luftpostbrief zur Post. Auch die an Altersschwäche gestorbene Katze hatte er beerdigt. Mit der Zeit kamen weitere Aufgaben hinzu. Nach vollbrachter Tat nickte der Alte immer wohlwollend, angelte den Schlüssel aus der Fischform, öffnete sein Schatzkästchen und zog einen einzelnen Geldschein aus dem dicken Stoß heraus. Er ging nur selten zur Bank und hob dann stets eine größere Summe ab.

Meistens hatte sein Großvater einen lateinischen Spruch auf den Lippen, dessen Bedeutung Max mit der Zeit erfasste. Nicht zuletzt *pecunia non olet*: Auch Max fand, dass Geld nicht stank.

Max wartete immer hoffnungsvoll auf dem grünen Küchensofa, das dort stand, seit er denken konnte. Seine Großmutter hatte es jahrelang mit einer Katze geteilt, die am weichen Mohairstoff ihre Krallen schärfte, wovon er mit der Zeit wie Kunstrasen aussah. In seiner Kindheit war ein Besuch bei den Großeltern stets ein Abenteuer gewesen, inzwischen war es eher eine Pflicht oder, besser gesagt, ein lukrativer Job.

Schon immer wollte der Großvater seinem Enkel gefallen und redete mit ihm in beinahe vertraulichem Ton, auch wenn seine Sprache längst aus der Mode gekommen war.

»Junge, ob du es glaubst oder nicht, ich war mal ein toller Hecht – so wie du –, und deine Großmutter eine kesse Biene!«

Max kannte das vergilbte Foto von Hecht und Biene. Willy in Uniform, Ilse im Dirndlkleid. Er streng und kantig, sie verträumt und hausbacken, alle beide dünn und hochgewachsen.

Meistens steckte ihm sein Opa 100 Euro fürs Benzin und für Zigaretten zu, weil sie unter Männern waren. Mit neunzehn hatte Max sich das Rauchen zwar weitgehend abgewöhnt, doch das brauchte sein Großvater nicht unbedingt zu wissen.

Eines Tages flog es beinahe auf: »Max, deine Mutter hat gesagt, du rauchst schon seit einem Jahr nicht mehr!«

Max wurde rot und stotterte: »Mütter wissen auch nicht alles …«

Der Alte grinste zwar verständnisvoll, rückte aber keinen einzigen Schein heraus. Und das ausgerechnet an jenem Tag, als Max ihm zum ersten Mal – mühselig und mehr schlecht als recht – die gelblich verfärbten, steinharten Zehennägel abgeknipst hatte.

Es kann verhängnisvoll sein, wenn man eine gewisse Summe fest eingeplant hat, weil man sie einem gnadenlosen Typen pünktlich abliefern muss. Nachdem Max recht verzweifelt das großväterliche Haus verlassen hatte, kehrte er noch einmal um. Schließlich wusste er, wo »Barthel den Most holt«.

Einen Hausschlüssel besaß Max schon seit zwei Jahren. Der Opa hörte fast nie, wenn sein Enkel hereinkam, und falls doch, konnte er sich immer noch herausreden. Im Wohnzimmer lief der Fernseher, wie gewöhnlich unerträglich laut. Max angelte sich den Schlüssel aus der Puddingform, schloss den Tresor auf und bediente sich.

Einen Monat später erzählte ihm seine Mutter mit besorgter Miene, dass Opa *seine* Frau Künzle entlassen habe. Max wunderte sich nicht weiter darüber: In letzter Zeit sah es beim Großvater aus wie im Schweinestall. Doch dann erfuhr er, dass die Frau Geld gestohlen habe. Seine Mutter wollte das allerdings nicht recht glauben; sie dachte, der Alte hätte seine Moneten verlegt und die Haushaltshilfe zu Unrecht beschuldigt.

»Das passiert in Altenheimen fast täglich«, sagte sie, »die Senioren können ihren Schmuck nicht finden, weil sie ihn unter der Matratze gebunkert haben, sie suchen vergeblich nach Fotos, Briefen oder Bargeld und erinnern sich nicht, wo sie es diesmal hingesteckt haben. Die Pflegerinnen sind an Verdächtigungen gewöhnt, aber Frau Künzle, die sich so viele Jahre lang für Opa und Oma abgerackert hat, ist bis ins Mark getroffen.«

Wenn das Geld noch in seinem Besitz gewesen wäre, hätte Max es heimlich wieder hingebracht.

Seine Mutter meinte noch: »Wir müssen uns wohl bald einmal eine andere Lösung einfallen lassen.«

»Eine Polin«, schlug Max vor.

»Bei seinen Vorurteilen gegen Ausländer? Aber du kannst ein gutes Werk tun«, meinte sie und schob ihrem Sohn einen Fünfziger hin, »und ihm einen Korb mit Wäsche bringen. Vielleicht könntest du ihm auch sonst ein bisschen mehr unter die Arme greifen.«

»Man müsste mal die Wände weißeln«, sagte Max und dachte dabei an einen größeren Auftrag.

Aber seine Mutter fand, es lohne sich nicht, im Grunde dürfe der Opa überhaupt nicht mehr allein wohnen.

»Okay«, sagte Max, »dann kann er ja in Mizzis Zimmer einziehen.«

Seine Mutter lachte nur. »Bring das mal deinem Vater bei!«

Der hoffte nämlich immer noch, dass seine Tochter ins elterliche Nest zurückkehren würde.

1975, zur Silberhochzeit, hatte der Alte seiner Frau einen Pelzmantel geschenkt, der allerdings nicht ganz neu war. Damals kursierte gerade der Kalauer: »Wenn einer von uns beiden stirbt, dann ziehe ich nach Mallorca.« Insbesondere die Frauen fanden das witzig, weil sie in der Regel ihre Männer überlebten. Willy wäre es nie in den Sinn gekommen, im höheren Alter die Heimat zu verlassen und sich auf eine fremde Sprache einzustellen. Er wäre aber auch nicht auf die Idee gekommen, dass seine Ilse vor ihm sterben könnte. Schließlich war sie fünf Jahre jünger und von robuster Gesundheit, wie er jedenfalls glaubte. Welch grausame Vorstellung, dass sie in ihrer Todesstunde ganz allein gewesen war. Womöglich hatte sie drei Tage lang im Nachthemd auf den kalten Fliesen gelegen, konnte sich nicht bewegen, nicht um Hilfe rufen, während ihr Mann mit den letzten mobilen Klassenkameraden ein Abituriententreffen feierte. Als er zurückkam, fand er eine Tote.

Damals war er noch fit genug gewesen, um allein zu verreisen. Das würde er sich heute gar nicht mehr zutrauen, er konnte kaum begreifen, wie schnell er in der letzten Zeit gealtert war. Das hatte man davon, wenn einem plötzlich die Frau wegstarb. Ideale Partner waren sie zwar nie gewesen, denn er wünschte sich eigentlich eine Frau, die auch seinen intellektuellen Ansprüchen genügte. Trotzdem hatte er sich nie beklagt. Ilse hatte andere Vorzüge, war eine Sanfte, die nie laut wurde oder ungehörige Ausdrücke in den Mund nahm. Nach über fünfzig Ehejahren schwiegen sich Paare sowieso die meiste Zeit an, immerhin besser als Streit. Vor allem aber waren Willy und Ilse ein perfektes Gespann gewesen. Sie hatte keinen Führerschein, konnte keine Überweisungsformulare ausfüllen und hatte keine Ahnung, wie hoch seine Rente war. Ilse bekam pünktlich ihr Haushaltsgeld abgezählt und war es zufrieden. Willy konnte wiederum weder kochen noch bügeln und hatte sich nie um die zahlreichen sozialen Kontakte gekümmert, die Ilse über Jahre hinweg aufrechterhielt.

Nach Ilses Tod hatte der Alte gelernt, ein Fertigprodukt in die neue Mikrowelle zu schieben und Tee oder Kaffee zu kochen. Leider gab es nicht mehr – wie in der Nachkriegszeit – ein eingemachtes Huhn zu kaufen, was nach seiner Meinung die einzige gute amerikanische Erfindung war. Wenn man die Riesendose öffnete, glitschte der sülzige Vogel mit einem schmatzenden Geräusch heraus, und die Knochen waren so weich, dass man sie fast mitessen konnte. Manchmal sehnte er sich sehr nach diesem pampigen Mahl.

Nach Ilses Tod besorgte seine Putzfrau auch den Abwasch und die Wäsche, zuletzt kam sie sogar dreimal in der Woche. Allerdings hatte ihm seine Frau schon vor Jahren verboten, dieses Wort zu benutzen, »Frau Künzle« oder »unsere gute Fee« sollte er sagen.

Am meisten vermisste er seine Frau an warmen Tagen, wenn sie den Frühstückstisch auf der Terrasse gedeckt hatte. Ihre ganze Liebe galt dem Steingarten, wo sie Stunden um Stunden herumzupfte. Es hatte ihn immer verwundert, wie sehr sie sich über ein winziges Blümchen freute, wie glücklich sie über eine Eidechse auf den warmen Steinen oder ein Eichhörnchen in der Tanne sein konnte. Wenn der Wind gelbe Blätter von den Bäumen wehte, rief sie voller Entzücken: »Schau doch, Willy! Sterntaler wie im Märchen!«

Für ihn war es die reinste Qual geworden, Laub aufzukehren, Unkraut zu rupfen oder den Rasen zu mähen, und der Garten sah inzwischen dementsprechend aus. Heute aß er auch bei schönstem Wetter nur noch vor laufendem Fernseher. Kürzlich war ihm dabei das fettige Spiegelei vom Teller geglitten, zum Glück fiel das Gelb auf Ilses rosa Plüschsessel kaum auf. Wenn der Junge nicht wäre, der ihm gelegentlich einen Gefallen tat, dann würde er womöglich verlottern. Neulich bat er darum, ihm die Haare zu scheren, und Max lachte schallend. »Opa, da gibt es nicht mehr viel…«

Seine Schwiegertochter Petra machte sich Sorgen, stieß aber bei ihrem Mann auf taube Ohren. Harald mochte seinen Vater sowieso nicht gern besuchen und tat es nur, wenn seine Schwester, die sich schon in jungen Jahren nach Australien abgesetzt hatte, ihm heftig einheizte. Vorläufig käme Papa noch gut zurecht, behauptete er. Petra kannte zwar die Probleme ihres Mannes mit seinem Vater, sah aber darin keinen Grund, die Verantwortung für den Alten abzuschieben. Gegen Haralds Willen und leicht zerstritten fuhr das Paar an einem eiskalten Sonntag nach Dossenheim, einem Heidelberger Vorort, um sich persönlich ein Bild zu machen. Während der Alte und sein Sohn im Wohnzimmer Cognac tranken und über die Unfähigkeit der heutigen Politiker räsonierten (persönliche Themen waren bei Vater und Sohn seit langem tabu), machte Petra eine kleine Razzia.

Es war schlimm, was sie da im Kühlschrank vorfand. Fast alles verschimmelt, abgelaufen, speckig. Schmutzige Wäsche türmte sich auf dem Sofa des Gästezimmers, es stank. Das Bett war offenbar seit einer Ewigkeit nicht frisch bezogen worden. Den muffigen Geruch im ausgekühlten Haus überlagerten Zigarrenschwaden, Wohnraum und Küche waren dagegen völlig überheizt.

Zurück im Wohnzimmer, fragte Petra ihren Schwiegervater, wann er das letzte Mal etwas Warmes gegessen habe. Gestern sei er im Wirtshaus gewesen, sagte er, dort gebe es vorzügliche Jägerschnitzel. Mit dem Wagen sei er in fünf Minuten dort.

Erst jetzt wurde Harald hellhörig. Irgendwie hatte er völlig verdrängt, dass sein Vater mit bald neunzig Jahren immer noch mit seinem alten Opel herumkurvte.

»Du hättest deinen Führerschein längst abgeben und das Auto endlich verschrotten lassen sollen, ich wundere mich sowieso, dass du es noch durch den TÜV gebracht hast«, sagte er energisch.

Der Alte warf Petra einen flehenden Blick zu, er erwartete ihren Beistand. Schon lange hielt er sie für seine Verbündete, und in gewisser Weise war sie das auch. Hin und wieder nannte er sie versehentlich Ilse.

»Harald meint es nur gut mit dir«, behauptete Petra. »Stell dir mal vor, ein Kind flitzt über die Straße, und du kannst nicht mehr schnell genug reagieren...«

»Ich sehe noch wie ein Adler und höre wie ein

Luchs«, fiel Willy seiner Schwiegertochter ins Wort und beendete damit das Gespräch.

Auf dem Heimweg murmelte Harald immer wieder empört: »So ein sturer alter Bock«, hörte aber kaum hin, wenn Petra laut über Lösungsmöglichkeiten nachdachte. Der Gestank der Wäsche im Kofferraum raubte einem fast den Atem.

»Riechst du es nicht? Ich glaube, dein Vater leidet unter Inkontinenz«, schimpfte Petra.

Sie schwiegen eine Weile, bis Harald wieder lospolterte: »Ich kann sein immer gleiches Geschwätz kaum mehr ertragen: *Lasst mir bloß meine Ruhe, ihr könnt mir alle den Buckel runterrutschen, nach mir die Sintflut, ist mir doch egal, die Welt geht sowieso bald unter ...* und so weiter.«

Ja, dachte Petra, wenn Ilse noch lebte, wäre alles einfacher. Gemeinsam wären die beiden bestimmt in eine kleinere, altersgerechte Wohnung umgezogen, wo nach Bedarf professionelle Hilfe angeboten wurde. Zu Ilse hatte sie immer ein sehr gutes Verhältnis gehabt, ihre Schwiegermutter vertraute ihr sogar Dinge an, über die sie mit den eigenen Kindern niemals gesprochen hätte. Zum Beispiel, dass ihre Ehe mit Willy nicht glücklich gewesen war. Mit achtzehn Jahren hatte sich Ilse in einen

Nachbarssohn verliebt, der allerdings nicht besonders ansehnlich war. Alle hatten ihn wegen seines vorstehenden Kinns verspottet, wovon sie sich leider beeinflussen ließ. Ilse entschied sich für den stattlichen Willy Knobel, der für damalige Verhältnisse gute berufliche Chancen hatte. Es wurde eine langweilige, zuweilen trostlose Ehe.

Der Alte machte sich oft über Ilse lustig, weil sie am liebsten Märchen las. »Sie bleibt ein ewiges Kind«, meinte er gönnerhaft. Er ahnte nicht, dass sie gelegentlich flüsterte:

> *Ich arme Jungfer zart,*
> *ach hätt' ich genommen*
> *den König Drosselbart!*

Petra glaubte, der alte Mann liebte seine Frau erst, seit sie tot war. Seine Ilse fehlte ihm an allen Ecken und Enden, vielleicht tat es ihm jetzt leid, dass er geizig und ihr gegenüber sehr autoritär gewesen war.

2

»*Manus manum lavat* – eine Hand wäscht die andere. Und da ich dir nicht gut im Alter die Zehennägel schneiden kann, habe ich eine andere Idee: Wenn ich tot bin, sollst du meine Bücher erben«, sagte der Großvater zu Max. »Das heißt, du musst dich natürlich mit Mizzi einigen. Deine Eltern haben ja genug eigene Exemplare.«

Max nickte. Seine Mutter war schließlich Buchhändlerin; in den elterlichen Wohnzimmerregalen hatten sich Leseexemplare und Bestseller der letzten zwanzig Jahren angesammelt. Darüber hinaus besaß sein Vater noch eine Bibliothek im Arbeitszimmer, zwei String-Wände waren von oben bis unten mit Fachbüchern über Kläranlagen, Tiefbau, Wasserlaufkorrekturen, Straßensanierungen, Friedhofserweiterungen etc. zugestellt.

Im Sortiment des Alten gab es allerdings nichts, was Max oder Mizzi wirklich interessierte. Jede Menge veraltete Lexika standen da, wo man doch heute nur noch bei Wikipedia nachschaute. Lateinische und griechische Wörterbücher, gebundene Zeitschriften aus den Nachkriegsjahren. Auch

Klassiker wie Shakespeare und Goethe, Lessing und Keller waren vertreten, zur Unterhaltung gab es ein paar französische Romane. Unter Umständen besaß sein Großvater auch Literatur aus der Nazizeit, aber da kannte sich Max nicht aus. Und es interessierte ihn auch nicht, wie sich der Alte im Dritten Reich verhalten hatte. Es war jedoch auffallend, dass er seine Kinder Harald und Karin genannt hatte, obwohl sie erst nach dem Krieg geboren wurden.

Das Haus der Großeltern war Anfang der sechziger Jahre gebaut worden. Max mochte die Durchreiche von der Küche zum Essplatz (die er als Kind zum Kasperlespiel benutzt hatte) und auch die geräumige Speisekammer, aber sonst waren ihm die Zimmer zu klein, die Decken zu niedrig, das Gärtchen zu langweilig. Seine Großmutter hatte irgendwann ein ehemaliges Kinderzimmer besetzt, in dem sie später auch schlief. Dort standen ihre ganz persönlichen Bücher – fast ausschließlich Märchen und Sagen aus aller Welt. Gleich dreimal vertreten war *Der Butt* von Günter Grass, wohl weil eine namensgleiche Ilsebill darin vorkam. Omas schön illustrierte Märchensammlung liebten sowohl Mizzi als auch Max, aber das übrige Erbe würden sie bei eBay anbieten.

Der Alte kramte in den Schubladen. »Hier, meine Doktorarbeit«, sagte er zu Max, »über Ovids *Metamorphosen*. Willst du sie mal in Ruhe lesen?«

Max warf einen Blick auf den unverständlichen Titel und nickte freundlich. Der Opa zog jetzt eine Tischdecke heraus.

»Hat deine Großmutter selbst gestickt«, sagte er, »Kreuzstich, glaube ich. Nimm sie für Mizzi mit, für die Aussteuer.«

»Opa, sie hat wenig Platz …«

»Hat sie jetzt endlich einen Freund? Mir kannst du es ja sagen …«

»Frag sie lieber selbst«, sagte Max, was der Alte aber falsch interpretierte.

»Ist er etwa verheiratet?«

Max fand es mühsam, dass er dem Alten keinen reinen Wein einschenken durfte. Sein Vater hatte es streng verboten, den Großvater über Mizzi aufzuklären. Doch vielleicht war der Alte gar nicht so verklemmt wie sein Sohn.

»Von Oma hängt noch ein teurer Pelzmantel im Schrank«, sagte der Alte, »ich würde ihn gern verkaufen. Vielleicht weißt du einen Abnehmer.«

»*Fun furs* sind gerade in, echte Pelze weniger«, sagte Max, »da hättest du kaum Chancen. Aber kann ich das gute Stück mal sehen?«

Max zog den schwarzgelockten Persianer seiner

Großmutter an, der zwar einige Mottenlöcher aufwies, aber angenehm wärmte. Er stellte sich im Flur vor den großen Spiegel und gefiel sich gut.

Der Großvater schlurfte ihm nach. »Scheiße siehst du aus«, sagte er, und Max musste grinsen.

»Sagen wir mal eher – rattenscharf. Opa, ich werde versuchen, den Mantel auf dem Flohmarkt zu verhökern, aber das ist reine Glückssache. Soll ich noch etwas für dich tun?« Max wollte allmählich weg.

»Vielleicht könntest du mir etwas Warmes brutzeln«, sagte der Alte, »ich habe heute noch nichts gegessen. Und in den letzten Tagen immer nur Spiegeleier oder Lasagne.«

Max ging in die Küche. Obwohl er bestimmt kein Ordnungsfanatiker war oder gar einen Hygienefimmel hatte, kriegte er ein Würgen im Hals, als er die Tür öffnete. Die Kakerlaken in der Spüle, die sich dort wie Gnus am einzigen Wasserloch der Kalahari versammelt hatten, verschwanden blitzschnell. Als würde ein hungriger Löwe auftauchen, dachte Max.

Das konnte nicht mehr lange gutgehen, der Opa wurde langsam, aber sicher zum Messie. Er sollte lieber heute als morgen das Haus verkaufen und bei seinen Kindern einziehen. Dann bräuchte Max auch nicht immer herzufahren, der Alte könnte mit der Familie essen und müsste sich nicht mehr um Dinge kümmern, die ihm über den Kopf wuchsen. Wenn sein Vater nur nicht so stur wäre und Mizzis Zimmer freigeben würde. Auch ein Ringtausch wäre denkbar – Mizzis Balkonzimmer für Max, der Raum im Souterrain für den Opa. Wahrscheinlich kam sein Vater erst zur Einsicht, wenn dem Alten etwas zustieße. »Muss ja nicht gleich ein Herzinfarkt sein«, knurrte Max vor sich hin, »ein Hexenschuss genügt schon.«

Er nahm eine Packung Fischstäbchen aus dem Kühlfach, gab ranzig riechendes Rapsöl in die Pfanne und stand tatenlos daneben, während sich das Fett langsam erhitzte. Als er die schmierige Flasche wieder ins Regal stellen wollte, entglitt sie und zerschellte auf den Fliesen.

»*Shit happens*«, sagte Max, kehrte die Scherben zusammen und wischte kurz mit einem stinkenden Lappen über den Boden.

Dann bettete er die Fischstäbchen in die Pfanne, briet sie in dem inzwischen sehr heißen Öl etwas zu kross und servierte sie seinem Großvater mit einer Scheibe hartem Roggenbrot, das einen schimmeligen Graustich angenommen hatte.

»Den Waschkorb habe ich im Flur abgestellt«, meinte er noch. »Soll ich die sauberen Sachen im Schlafzimmer einsortieren?«

»Junge, wenn ich dich nicht hätte«, sagte sein Großvater mümmelnd, erhob sich vom Sofa und schlurfte in die Küche zur Puddingform. Diesmal erhielt Max 200 Euro.

Zum Glück wollte Max die Haustür gerade erst zuziehen, so dass er den dumpfen Aufprall und fast gleichzeitig den Schrei noch hörte. In Windeseile stürzte er in die Küche zurück, wo sein Großvater auf den Fliesen lag und ihn mit verschrecktem Ausdruck anstarrte. Um ihn herum lagen Splitter von einem zerbrochenen Schnapsglas.

»Hilf mir auf die Beine, Junge!«, bat er kleinlaut. Max fasste ihn an den kalten Händen und versuchte, ihn hochzuziehen. Der Alte stöhnte auf. »Autsch! Nicht so grob! So geht das nicht«, sagte er. »Hol Hilfe!«

Max bettete ihm ein Kissen unter den Kopf und rief zu Hause an. Zum Glück war seine Mutter schon von der Buchhandlung zurück. Ihre Anweisungen waren präzise und knapp:

»Du musst auf der Stelle einen Krankenwagen rufen! Bei einem Schlaganfall kommt es auf jede Minute an. Kann er sprechen, kann er Arme und Beine bewegen?«

»Mama, alles halb so schlimm, ich glaube, er ist bloß ausgerutscht…«

Sie gab ihm die Nummer vom Rettungsdienst und versprach, sofort zu kommen. Falls man den Opa in ein Krankenhaus bringe, solle Max mitfahren und sie per Handy informieren. Sie würden sich dann in der Klinik treffen.

Max legte einen Stoß Zeitungen auf den verschmutzten Küchenboden und setzte sich neben seinen Großvater. Sein schüchterner Versuch, dem Alten die Hand zu halten, wurde verschmäht.

»Genau hier habe ich meine tote Frau gefunden«, flüsterte der Alte, »auf diesen kalten Fliesen hat sie gelegen, genau wie ich. Max, du hast mich gerettet.«

Bereits nach zehn Minuten hörte man das Martinshorn. Zwei Sanitäter in weißen Hosen, die Jacken leuchtend orange, stapften herein, vergewisserten sich, dass der Verletzte ansprechbar und der Kreislauf stabil war, und hoben ihn auf eine Trage. Max deckte seinen Großvater mit dem Persianermantel zu und fuhr mit zur Klinik.

Wahrscheinlich eine Fraktur, meinte der erfahrene Chauffeur, man müsse auf jeden Fall röntgen.

Inzwischen griff der Alte doch nach der Hand seines Enkels, in seinen Augen standen Hilflosigkeit und Angst.

»Es wird schon alles wieder gut, Opa«, sagte Max und glaubte selbst nicht daran. Erst jetzt wurde ihm bewusst, dass er das ausgelaufene Öl nur oberflächlich beseitigt und somit den Sturz des Alten verursacht hatte.

Im Krankenhaus traf Max dann auch seine Mutter. Während sie auf das Ergebnis der Röntgenaufnahme warteten, wurde Petra zunehmend nervöser.

»Ich glaube, ich habe das Bügeleisen angelassen«, sagte sie.

»Weiß Papa schon, was passiert ist?«, fragte Max. Seine Mutter hatte ihren Mann noch nicht erreichen können.

Schließlich wurden sie hereingerufen und erfuhren, dass sich der Alte den Oberschenkel gebrochen hatte. Eine Operation sei unumgänglich. Dann wurde der Großvater, der inzwischen eine schmerzstillende Injektion erhalten hatte, hereingerollt. Gemeinsam besprach man das Vorgehen. Es bestand eine gewisse Unklarheit, welche Medikamente der Patient regelmäßig einnehmen musste, Max wusste es nicht, und dem Alten fielen die Namen nicht ein.

Da Max sowieso noch ein Köfferchen für seinen Opa packen musste, sollte er auch gleich die Pillen nebst Originalverpackung ins Krankenhaus bringen. Seine Mutter wollte zu ihrem Bügeleisen und setzte ihren Sohn nur schnell vor dem großväterlichen Haus ab.

»Stell die Heizung auf Sparflamme, Ende Februar friert es nicht mehr über Nacht!«, befahl sie. »Er braucht mindestens drei Schlafanzüge, Bademantel, Taschentücher, Pantoffeln und Waschzeug. Bücher oder Zeitschriften noch nicht, die kann man ihm in den nächsten Tagen mitbringen. Und seine Brieftasche mit Ausweis und Versicherungskarte!«

»Und die Zigarren?«, fragte Max.

»Bist du wahnsinnig? Am besten gleich noch drei Flaschen Schnaps – mein Gott, mir ist im Moment nicht nach Scherzen zumute.«

»Alles klar«, brummte Max. Als Erstes hatte er vor, den Küchenboden gründlich zu reinigen. Seine Eltern sollten auf keinen Fall erfahren, dass ihr Sohn schuld an der Katastrophe war.

Als Max an Ort und Stelle war, fiel ihm auf, dass der Schlüssel für den kleinen Tresor nicht hinter der Puddingform hing. Hatte ihn der Alte etwa noch in der Hosentasche?

Die Zahnbürste seines Großvaters sah ziemlich heruntergekommen aus. Wofür brauchte man sie überhaupt, wenn man Ober- und Unterkieferprothesen trug? Max stopfte alles, was er an Rasierzeug und Hygieneartikeln im Badezimmer fand, in eine Plastiktüte. Der graue Canvas-Koffer im Gästezimmer war viel zu groß. Im Schlafzimmer unterm Bett fand er einen kleineren, der ihm sehr schwer vorkam. Als Max ihn öffnete, war er gefüllt mit Pornoheften aus den siebziger Jahren. Max stieß einen Pfiff aus und musste laut lachen.

»Alter Schwede«, sagte er anerkennend. »Wer hätte das gedacht!«

Dann schüttete er die Hefte in den Kleiderschrank, wobei ein schweres Kästchen herauspolterte. Max steckte es zurück in den Schrank, verschloss die Tür und zog den Schlüssel ab, seine Eltern brauchten von dem Fund nicht unbedingt zu wissen. Eilig packte er alles Nötige ein, drehte die Heizkörper herunter und fuhr zum zweiten Mal ins Krankenhaus.

Dort wurde er auf eine der chirurgischen Stationen geschickt, wo ihn eine Krankenschwester abfing.

»Wurde mein Großvater schon operiert?«, fragte Max.

»Meinen Sie Herrn Knobel? So schnell schießen die Preußen nicht, aber morgen ist er als Erster dran, der Anästhesist kommt gleich zu ihm. Sie können ihm ruhig seine Sachen bringen.«

An der Zimmertür mit der Nr. 207 steckten zwei Namenskärtchen in einer Halterung: *Hermann Schäfer* und *Willy Knobel*.

Der Alte trug ein fade gemustertes, verwaschenes Nachthemd, wie Max es nur aus Fernsehserien kannte. Er teilte sich den kleinen Raum mit einem kaum jüngeren Patienten, der jedoch schlief. Als sich sein Enkel dem Bett näherte, hob der Kranke wortlos die Decke und zeigte ihm das gebrochene Bein, das fest in eine Schaumstoffschiene eingeklemmt war. Max packte den Koffer aus, brachte die Waschsachen ins Bad und räumte die Schlafanzüge in den Wandschrank. Neben der Tür hing der schwarze Persianer. Max winkte kurz zum Abschied und fuhr nachdenklich nach Hause.

Inzwischen war auch sein Vater da. Wie zu erwarten, regte er sich furchtbar auf.

»Ob er in diesem Alter noch eine Narkose und Operation übersteht, mangelhaft ernährt, wie er ist?«

»Was spricht dagegen?«, sagte Petra. »Herz und Kreislauf sind stabil. Die Operation ist mittlerweile Routine. Meine beiden Großmütter hatten sich den Oberschenkelhals gebrochen, lagen monatelang flach, ohne dass es heilte, und starben schließlich an einer Lungenentzündung. Heute haben auch Hochbetagte eine gute Chance, wieder gesund zu werden.«

»Na schön«, sagte Harald. »Mit Nägeln, Platten und Schrauben kann man die Knochen zwar zusammenflicken, aber wird der Tattergreis auch wieder gehfähig? Das alles bedeutet doch, dass ich mich eher heute als morgen um einen Platz in einem Pflegeheim bemühen muss. Gleich morgen frage ich den Kollegen vom Gesundheitsamt um Rat.«

»Opa könnte doch bei uns wohnen«, sagte Max.

»Du bist wohl verrückt geworden! Wer soll sich denn um ihn kümmern? Deine Mutter ist berufstätig, ich bin sowieso den ganzen Tag nicht zu Hause. Und du solltest gefälligst dein Studium etwas ernster nehmen.«

Bei diesem Reizwort wollte Max schleunigst den Raum verlassen, wurde aber vom Vater zurückgehalten.

»Papa«, sagte Max, »du hast gut reden! Dieses Studium ist absolut sinnlos. Ich war zwar in der Schule nicht schlecht in Englisch, weil ihr mich in den großen Ferien so oft nach Australien geschickt habt. Aber das hat nichts mit diesem bescheuerten *Beowulf* zu tun, mit dem man in der Uni gequält wird.«

Seine Eltern tauschten fassungslose Blicke. Gerade als Max endlich gehen wollte, begann seine Mutter mit ihrer sanftesten Stimme: »Mäxchen, bei jeder Ausbildung gibt es Teilgebiete, die einem weniger liegen und nur aus reiner Paukerei bestehen. Beim Medizinstudium müsstest du dich bis zum Physikum mit Anatomie und Biochemie herumplagen! Man darf doch nicht nach zwei Semestern bereits aufgeben!«

Seine Mutter benutzte ihre Pastorinnenstimme, wenn es um seine Zukunft ging, und sein Vater klang wie ein weinerlicher Frauenarzt – als ob sie es mit einem durchgeknallten Junkie zu tun hätten.

»Ihr versteht überhaupt nichts«, sagte er und machte, dass er aus dem Haus kam. Wohin er fahren wollte, wussten weder seine Eltern noch er selbst, doch sein treues Auto umso besser. Zielstrebig brachte es ihn in die *Brennnessel*, sein Lieblingskino.

3

Nach der Operation kam der Alte für einen halben Tag auf die Intensivstation und erst am Nachmittag wieder in sein Bett. Er schlief, als Petra und Harald ihn am frühen Abend besuchten.

»Bis vor einer Stunde hing er noch am Tropf«, sagte der Zimmergenosse und erzählte, dass er selbst ein neues Hüftgelenk erhalten habe, und das schon zum zweiten Mal. »Es geht alles vorüber«, fügte er noch mürrisch hinzu.

Die Besucher saßen eine Weile neben dem Alten und betrachteten sein blasses Gesicht, das ein wenig wie eine Totenmaske wirkte. Völlig überraschend öffnete Willy auf einmal die Augen, blinzelte seine Schwiegertochter an und murmelte: »Ilsebill!«

Petra und Harald verabschiedeten sich. Im Flur sprachen sie mit der Ärztin.

»Es ist alles nach Plan gelaufen«, meinte die Chirurgin. »Wenn der Heilungsprozess gut voranschreitet, können wir ihn bald in eine Senioren-Reha-Klinik verlegen. Dort wird er wieder laufen lernen.«

»Und wie lange wird das alles dauern?«, fragte Harald. Etwa vierzehn Tage im Krankenhaus, zwei bis drei Wochen Reha, erfuhr er. Aber das könne man heute noch nicht so genau beurteilen. Auf alle Fälle werde es nötig, dass der Patient angesichts seiner fast neunzig Jahre in ein betreutes Altenheim umziehe. Man solle am besten schon jetzt einen Antrag auf Pflegestufe zwei stellen, damit sich die Krankenkasse an den Kosten beteilige.

»Das war vorauszusehen«, sagte Petra, als sie wieder im Auto saßen. »Du hast das Problem viel zu lange vor dir hergeschoben. Am besten verkauft Vater das Haus, dann springt genug Geld für eine anständige Seniorenresidenz heraus.«

»Und mein Erbe geht den Bach hinunter«, sagte Harald. »Es muss ja nicht gleich das Augustinum sein, das Kreispflegeheim tut es auch.«

»Er wird sich schwertun«, sagte Petra, »er mag keine fremden Menschen um sich, er kann sich keine neuen Namen merken, er lässt sich nur sehr ungern anfassen – Max ist der Einzige, bei dem er es duldet.«

»Mein Gott, da wird er sich eben dran gewöhnen müssen«, sagte Harald.

Am nächsten Tag machte Max die Visite. Wie erwartet war sein Großvater erschöpft, noch benommen, aber auch grantig, und wollte auf der Stelle nach Hause gebracht werden. So richtig vom Leder ziehen konnte er allerdings nicht, seine Stimme war angeschlagen.

»Was soll ich dir beim nächsten Mal mitbringen? Etwas zum Lesen? Und ein bisschen Obst? Darfst du überhaupt schon alles essen, Opa?«, fragte Max.

Aus dem anderen Bett ertönte Hermann Schäfers höhnisches Lachen: »Ach, hör'n Se auf mit dem Essen! Wir kriegen sowieso nichts runter.«

»Ilse wird mir etwas kochen«, krächzte der Alte. »Sie war heute schon dreimal hier. Zum Nachtisch hat sie mir kalifornische Dosenpfirsiche versprochen.«

Angesichts dieser erfreulichen Aussicht schloss er die Augen und schlief ein. Der zahnlose Mund stand weit offen.

Max schielte befremdet zum Bettnachbarn hinüber, aber der schien sich nicht weiter über Ilses Besuche zu wundern. Nun gut, er konnte nicht wissen, dass Opas Frau tot war.

»Übrigens …«, fragte Hermann Schäfer leise, »ist Ihr Großvater im Ausland aufgewachsen? Er redet manchmal in einer Fremdsprache …«

»Das war bestimmt Latein«, sagte Max. »Da verstehe ich auch nur Bahnhof.«

Als Max aufstand und seine Jacke vom Kleiderhaken nahm, dämmerte ihm beim Anblick des Persianers, wieso sein Opa immer von Ilse sprach. Wahrscheinlich hatte der Pelz dem frisch Operierten die vertraute Person vorgegaukelt. Max nahm das gute Stück lieber wieder mit.

Als Petra zwei Tage später das Krankenzimmer betrat, wirkte die Szene schon viel lebendiger. Nicht ohne Pathos wurde sie vom Schwiegervater begrüßt: »*Ave, Petra! Morituri te salutant!*« – Zum Glück war der Gruß der Todgeweihten nicht ernst gemeint, fast konnte man die Stimmung hoffnungsvoll nennen. Selbst der griesgrämige Hermann Schäfer lächelte ein wenig. Alle beide machten unter Anleitung des Physiotherapeuten wacklige Stehversuche und konnten mit Stolz vom Lob der Krankengymnastin berichten. Petra hatte Blumen mitgebracht, mehrere Zeitungen und Kreuzworträtselhefte. Sie war die Einzige in der Familie, die lateinische Zitate verstand und zur Freude des Alten sogar gelegentlich in den Mund nahm.

Als sie sich nach einer halben Stunde zum Gehen wandte, sagte der Alte: »Bitte, mach die Tür fest zu, damit die Wellensittiche nicht fortfliegen.«

Etwas irritiert sah sich Petra im Raum um, zog die Tür aber wie gewünscht gut hörbar zu. Zum

Glück lief ihr die Ärztin über den Weg. Petra fragte nach dem Zustand des Patienten.

»Sie müssen sich überhaupt keine Sorgen machen«, war die Antwort. »Man spricht von Durchgangssyndrom, wenn ältere Menschen etwas länger brauchen, bis sie die Folgen der Narkose überwinden. Gelegentlich beobachtet man leichte Störungen der Wahrnehmung oder Gedächtnisausfälle, die sich wieder geben. Die Wunde heilt bestens, nächste Woche soll er mit dem Rollator ein bisschen herumwandern. Wenn er weiter gut mitmacht, kann er das Bein bald zu fünfzig Prozent belasten und die Reha antreten. Achten Sie bitte darauf, dass er immer genügend trinkt!«

Anderntags stellte auch Max fest, dass die Genesung und Mobilisierung seines Großvaters Fortschritte machte. Kaum aber wurde der Mitbewohner zu einer Kontrolluntersuchung abgeholt, nutzte der Alte die Gelegenheit, um über seinen Leidensgenossen herzufallen.

»Überhaupt keine Kinderstube hat der! Beim Sprechen spuckt er so widerlich, dass ich in Deckung gehe. Ich zähle die Tage, bis ich ihn los bin!«

»Opa, so schlimm ist Herr Schäfer nun auch wieder nicht. Und wie kommst du mit den Krankenschwestern klar?«

»Die eine nenne ich Zerberus. Aber zum Putzen

kommt ein Engel. Eine Asiatin mit einem zauberhaften Popöchen! Das ist der einzige Lichtblick im Tal der Finsternis« – er hielt kurz inne und fuhr fort: »außer dir natürlich.«

Sein Blick ruhte gerührt auf seinem Enkel: Max trug einen braunen Kapuzenpullover, Jeans und Turnschuhe. Die dunklen Haare waren sehr kurz, das schmale Gesicht verzog sich beim Lächeln zu einem langen spitzen Dreieck.

»Opa, du bist wieder ganz der Alte«, sagte Max. »Übrigens – Mizzi lässt dich grüßen.«

»Wie geht es meinem Augenstern?«

Max zuckte zusammen. Er riss sich die Beine für seinen Großvater aus, während seine Schwester noch nie einen Finger krumm gemacht hatte und allerhöchstens mal einen Gruß ausrichten ließ.

»Es geht ihr gut, sie will heiraten!«

Der Alte strahlte. »Und wer ist der Glückspilz?«, fragte er.

»Ihre Freundin Jasmin«, meinte Max.

Der Alte kicherte. Max ließ es dabei bewenden. Mit unbewegtem Gesicht nahm er neue Aufträge entgegen: Ein Trainingsanzug, der angeblich noch in einer Schlafzimmerkommode lagerte, und Kreuzworträtsel sollten besorgt werden.

»Alle bereits ausgefüllt«, sagte der Alte stolz und übergab seinem Enkel den Beweis. Max warf einen flüchtigen Blick darauf. Tatsächlich war kein Kästchen mehr frei, aber die eingetragenen Worte kamen ihm unbekannt vor. Vorbau eines Hauses: *elken*, las er, asiatisches Wildrind: *Kai*.

Später hatte Max ein schlechtes Gewissen. Immerhin hatte der Alte die Bemerkung über Mizzis Heirat bloß für einen Scherz gehalten, aber wenn er darüber nachgrübelte, würde er die Wahrheit womöglich herausbekommen. So weltfremd konnte selbst ein Neunzigjähriger kaum sein, dass er nicht zwei und zwei zusammenzählte. Im Grunde liebte Max seine Schwester, wünschte ihr aber trotzdem von Zeit zu Zeit die Pest an den Hals. Im Gegensatz zu ihm war Mizzi eine gute Schülerin gewesen, hatte sofort einen Studienplatz bekommen und sammelte jetzt bereits Material für ihre Diplomarbeit. Aber sie ließ sich kaum mehr zu Hause blicken und überließ es Max, den Eltern die Stange zu halten. Überhaupt pflegten sich die Frauen der Knobels gern vor familiären Pflichten zu drücken – seine Tante Karin lebte in Australien, seine Schwester in Berlin. Nur seine Mutter war anders. Doch auch sie verschwand sechs Stunden am Tag in ihrem Buchladen, organisierte zwar schwungvoll den Haushalt, doch Zeit für ihn hatte sie selten.

Irgendwie blieb alles immer gleich in einer Familie. Sein Großvater hatte zwei Kinder – Tochter und Sohn –, sein Vater ebenfalls. Beiden war die Tochter frühzeitig abhandengekommen, beide hielten ihren Sohn für einen Versager. Sein Papa hatte den eigenen Vater beklaut, Max hatte sich wiederholt bei Opa und Papa bedient. Ein Fluch, dachte er, dagegen ist man machtlos. Irgendein Urahn hatte vermutlich als Dieb am Galgen gezappelt und spukte jetzt aus Rache in den Genen seiner Nachkommen herum.

Mizzi hatte recht, auf Kinder zu verzichten. Max war sich fast sicher, dass er es ebenfalls lassen sollte, mal sehen. Als er mit knapp achtzehn einen Arzt um Sterilisation bat, wurde es ihm mit tausend Argumenten ausgeredet.

Um diese Tageszeit waren Vater und Mutter nie zu Hause. Max hatte das dringende Bedürfnis, wenigstens mit seiner Schwester zu reden. Sie meldete sich auf Anhieb.

»Mizzi, ich muss dir etwas beichten …«, begann ihr Bruder.

Sie hörte zu und lachte.

»Aber wo ist dein Problem?«

»Papa hat doch verboten, dem Opa etwas zu verraten.«

»Na und? Willst du ein Leben lang nach seiner Pfeife tanzen? Ist schon gut, beim nächsten Mal hätte ich es ihm selbst gesagt!«

Erleichtert wechselte Max das Thema: »Und was macht deine Diplomarbeit?«

Mizzi hatte sich ein Projekt ausgesucht, das mit der Adenauerzeit und den damaligen lesbischen Lebensentwürfen zu tun hatte.

»Nicht ganz einfach«, sagte seine Schwester. »Ich habe erst wenige alte Frauen gefunden, die mir Rede und Antwort stehen. Und das sind Ausnahmeerscheinungen. Am liebsten würde ich noch als Untertitel anbringen: *Die Mauer des Schweigens*. Klingt aber nicht wissenschaftlich genug.«

Max interessierte sich nicht wirklich für Mizzis Werk. Er erzählte noch ein wenig vom Großvater und weckte wiederum bei ihr keine Anteilnahme. Selbst als Max davon sprach, dass in einem nahegelegenen Altenheim ein Platz in Aussicht war, kam kein Kommentar.

Papa hatte wieder mal beruflichen Ärger. Im Tiefbauamt der Stadt gab es sehr gegensätzliche Meinungen zu einer seit Jahren geplanten Tiefgarage.

»Und Mama?«, fragte Mizzi gähnend.

»Sie will eine Lesung organisieren und hat im Augenblick nichts anderes im Kopf. Übrigens – da fällt mir noch etwas ein…« Max stockte und suchte nach den richtigen Worten. »Soll dein Zimmer in alle Ewigkeit für dich bereitstehen, oder gedenkst du, irgendwann in den Schoß der Familie…«

»Spinnst du? Mit meinem Zimmer könnt ihr machen, was ihr wollt. Wenn ich an Weihnachten oder auf der Durchreise mal Station mache, dann kann ich wie alle Gäste in Papas Arbeitszimmer schlafen. Warum fragst du überhaupt?«

»Na ja, dein Zimmer hat einen Balkon, es ist eigentlich das schönste im Haus. Ich dachte an einen Tausch.«

»Mensch, da hätte ich doch niemals etwas dagegen! Aber überleg es dir gut, du hast im Souterrain eine eigene Dusche, und Besucher können direkt bei dir klingeln und durch die Garage ein und aus gehen, ohne dass die Eltern etwas davon mitkriegen.«

Doch gerade der separate Zugang zu seinem Zimmer hatte auch Nachteile. Vor kurzem hatte Max die Garagentür nicht abgeschlossen, und ein mehr als unerbetener Gast stand plötzlich vor seinem Bett und forderte die wöchentliche Abzahlung. Doch das wollte er seiner Schwester auf keinen Fall auf die Nase binden, also meinte er bloß: »Erstens habe ich keine Freundin, zweitens…«

»Ach Max, tut mir leid, dass du keine hast, aber

das kann sich von einem Tag auf den anderen ändern. Mach's gut, lass dich von den Alten nicht zu sehr terrorisieren, du bist seit zwei Jahren volljährig.«

Max konnte den Jogginganzug, den die Krankengymnastin angefordert hatte, in der angegebenen Kommode nicht finden. Schließlich entdeckte er die dunkelblaue Hose aus dicker, innen aufgerauhter Baumwolle in einer Truhe; als Max das schwere Kleidungsstück prüfend in die Hand nahm, zerfiel der Gummizug im Bund und an den Knöcheln in bröckelige Bestandteile. Ein entsprechendes Oberteil ließ sich schon gar nicht auftreiben. Da muss Papa ihm wohl oder übel eine seiner eigenen Fitness-Hosen ausleihen, dachte Max schadenfroh.

Willy Knobels Entlassung in die Reha-Einrichtung für Senioren stand kurz bevor, er konnte mit Hilfe des Physiotherapeuten und des Gehwagens sogar bis zum kleinen Krankenhausladen laufen, wo es Zeitschriften, Getränke und Blumen gab, als es ganz plötzlich zu einer dramatischen Verschlechterung kam. Ein Lungenödem, erfuhr Petra, als sie mit einem neugekauften Fleece-Anzug die chirurgische Station erreichte. Der Alte war kaum ansprechbar, atmete schwer und rasselnd und verweigerte jede Nahrung. Sein Bettnachbar war inzwischen entlassen worden, Willy war ganz allein im Zimmer.

Als sich sein Zustand weiterhin verschlimmerte, zeigte sich die Ärztin besorgt.

»Wir müssen den Termin für die Reha absagen«, sagte sie. »Ich fürchte, er wird es überhaupt nicht mehr schaffen.«

Wie das gemeint sei, fragten Petra und Max.

»Nun, über kurz oder lang wird er sterben – aber ich kann Ihnen natürlich nicht sagen, ob es sich um Tage oder Wochen handelt. Leider können wir ihn nicht auf der Station behalten, wir brauchen das Bett.«

»… ja, aber …«, stotterte Petra.

»Natürlich bleibt er hier, bis Sie einen Platz in einem Pflegeheim oder Hospiz gefunden haben«, sagte die Ärztin. »Wenn es allerdings mein Vater wäre, würde ich ihn zu mir nach Hause nehmen. Wir wünschen uns doch alle, im eigenen Bett einzuschlafen.«

»Dann machen wir das«, sagte Max, und seine Mutter sah ihn staunend an.

Die Ärztin zeigte sich beeindruckt.

»So etwas hört man selten«, sagte sie. »Selbstverständlich werden Sie bei einer so mutigen Entscheidung nicht allein gelassen. Die Krankenkasse wird Ihnen leihweise ein Pflegebett und andere Hilfsmittel zur Verfügung stellen, eine Altenpflegerin oder Krankenschwester wird mindestens zweimal am Tag zum Waschen und Umbetten kommen, und der Hausarzt wird dem Patienten mit palliativen Mitteln den letzten Weg erleichtern.«

Sie drückte beiden die Hand und eilte davon.

»Fast hätte sie uns schon ihr Beileid ausgesprochen«, sagte Petra. »Und du hast mich zwar überrumpelt, aber genau die richtige Entscheidung getroffen. Ich bin gespannt, was Papa dazu sagen wird. Bestimmt kriegt er die Krise.«

Womit sie recht behalten sollte. Harald war anfangs sprachlos, dann wurde er zusehends zorniger, weil Frau und Sohn diesen Entschluss gefasst hatten, ohne ihn auch nur im Geringsten einzubeziehen. Zudem konnte das Zimmer im Altenheim, das jetzt endlich fest gebucht war, nicht bezogen werden, denn man nahm dort keine Sterbenden auf.

»Macht doch, was ihr wollt!«, brüllte er. »Meine Meinung ist in diesem Haus anscheinend nicht gefragt!«

Schließlich rief er seine Schwester in Australien an, erfuhr aber vom Schwager, dass Karin sich gerade liften ließ.

Petra fand am Ende die richtigen Worte: »Es wird ja nicht mehr lange dauern. Und gegen eine baldige Erbschaft hast du bestimmt nichts einzuwenden.«

4

In dieser Nacht lag Harald lange wach und grübelte. Sein todkranker Herr Papa sollte hier einziehen, dieser Rabenvater, der ihn vor vierzig Jahren verstoßen hatte.

Der taugte doch nur für die Hauptrolle in dem Molière-Stück *Der Geizige*. Wäre seine Mutter nicht gewesen – die ihrerseits unter dem mehr als kargen Haushaltsgeld zu leiden hatte und nur mit Mühe etwas für ihren Sohn abzwackte –, hätte Harald am Ende noch Straßenkehrer werden müssen. Er studierte gerade im dritten Semester, als er mit einem geliehenen Motorrad das Auto eines Professors rammte und einen Blechschaden verursachte. Damals hatte er in der Not einen Scheck gefälscht, zum Glück handelte es sich um keine große Summe.

Doch sein Vater war nicht nur ein Pfennigfuchser, sondern auch überaus korrekt in der Buchführung. Die Sache kam ans Licht und wuchs sich zu einer Katastrophe aus. Harald wurde vor die Tür gesetzt. Außerdem strich ihm sein Vater jegliche finanzielle Unterstützung.

Von da an musste Harald während seiner Studentenzeit die unterschiedlichsten Knochenjobs annehmen, obwohl sein Vater als wissenschaftlicher Bibliothekar ein relativ gutes Einkommen hatte. Nach Hause kam Harald nur noch, wenn der Alte – selten genug – verreist war. Am meisten litt wohl seine Mutter unter der Härte ihres Mannes, aber sie war zu schwach, um sich dagegen zu wehren.

Erst an Ilses sechzigstem Geburtstag fand eine oberflächliche Versöhnung statt. Sie hatte Willy ihren einzigen Wunsch so oft zu verstehen gegeben, dass er doch noch über den eigenen Schatten sprang und seinem Sohn wieder die Tür öffnete. Erstaunlicherweise fand der Alte Gefallen an seinen kleinen Enkelkindern und an der Schwiegertochter.

»Fast so fleißig wie meine Ilse, aber mit mehr Verstand und Bildung«, sagte er, was seinen Sohn aber auch verletzte. Er hielt seine Mutter für alles andere als dumm.

Noch mehr als seine Schwiegertochter schätzte, ja liebte der Alte seine niedliche Enkelin Marie, genannt Mizzi. Nie durfte er erfahren, dass Mizzi seit zwei Jahren mit einer Frau zusammenlebte. Und wenn Harald ganz ehrlich war, konnte er sich auch nicht damit abfinden. Seine Tochter war ein so hübsches Mädchen, es war ein Jammer! Doch wehe, wenn er etwas sagte, das brachte Petra auf die Palme. Ob er seine Kinder verlieren wolle wie sein Vater, drohte sie.

Erstaunlicherweise kam Max ganz gut mit dem Alten aus, er besuchte ihn jede Woche, und jetzt, wo er im Krankenhaus lag, fast täglich.

Doch auch um seinen Sohn machte sich Harald Sorgen. Er wollte zwar nicht den gleichen Fehler machen wie sein Vater, aber ob es richtig war, Max finanziell so großzügig zu unterstützen? Brauchte man mit zwanzig Jahren ein eigenes Auto? Andere Studenten fuhren mit dem Rad oder benutzten öffentliche Verkehrsmittel. Leider würde sein Sohn den begehrten Studienplatz für Medizin so bald nicht oder überhaupt nicht bekommen. Anglistik und Kunstgeschichte waren zwar nur eine Übergangslösung gewesen, doch Harald hatte die schwache Hoffnung gehabt, dass Max mit der Zeit Gefallen daran finden und am Ende sogar Lehrer werden würde. Mittlerweile aber hatte sein Sohn das Studium praktisch aufgegeben. Warum suchte er sich dann keinen Ausbildungsplatz oder wenigstens einen Job? Was tat er den lieben langen Tag? Am PC klickte er immer auf ein anderes Programm, wenn Harald reinkam.

Hätte sein Sohn doch den Zivildienst nicht ausgerechnet in einem Heim für schwererziehbare

Jugendliche, sondern bei der Behinderten- oder Krankenbetreuung abgeleistet! Dort hätte er so manches lernen können, wie zum Beispiel seinen Großvater gelegentlich unter die Dusche zu stellen. Petra behauptete, der Alte hätte seit Monaten keine Badewanne mehr bestiegen.

»Verwahrlost ist vielleicht übertrieben, aber sein Zustand ist nur millimeterweit davon entfernt«, hatte sie festgestellt und sich geschämt, dass man ihren Schwiegervater so heruntergekommen im Krankenhaus abgeliefert hatte.

Er wird ohnedies nicht mehr lange leben, dachte Harald, für die kurze Zeit werden wir schon einen Modus Vivendi finden. Er erschrak bei diesem Ausdruck, den er wie viele andere von seinem Vater übernommen hatte. Dabei hatte er nie Latein gelernt und sich stets geärgert, wenn ihn sein Vater damit demütigte. Zu allem Überfluss wurde er auch äußerlich dem alten Herrn immer ähnlicher, die Haare lichteten sich, der Rücken krümmte sich, sogar die Nase tropfte, wenn er von einer Baustelle zurück in die warme Stube kam. Hoffentlich mutierte er nicht auch zum Geizkragen. Die Arbeit fiel zunehmend schwerer, und er freute sich darauf, in einigen Jahren dem städtischen Tiefbauamt für immer den Rücken zu kehren.

Morgen wollte er allerhand organisieren und regeln – auch wenn es gegen die Beschlüsse von Frau und Sohn geschehen musste. Es war ja ein alter Hut, dass Petra zu den Kindern hielt und nicht zu ihm. Als Erstes würde er versuchen, seinen Vater doch im vorgesehenen Altenheim unterzubringen, schließlich gab es eine Pflegestation für Schwerkranke. Sollten dort aber alle Betten besetzt sein, dann musste er es eben mit einem der umliegenden Heime oder Hospize versuchen. Harald hoffte sehr, dass sein Vater sich mit dem Sterben ein wenig beeilen würde.

In dieser Nacht musste er alle zwei Stunden auf die Toilette, auch dies wohl ein Zeichen von Stress und zunehmendem Alter. Beim dritten Mal gab seine Frau einen mehr als missbilligenden Laut von sich, so dass er seine Decke und das Kopfkissen unter den Arm klemmte und sich in seinem Arbeitszimmer ein Lager machte. Das durchgesessene Sofa behagte ihm auf die Dauer allerdings wenig. Es reichte höchstens für ein sonntägliches Mittagsschläfchen oder einen Gast. Sollte er demnächst erben, dann wollte er als Erstes eine hochwertige Schlafcouch anschaffen. Was der Verkauf des Dossenheimer Hauses wohl einbrachte? Er würde demnächst Kontakt mit einem Makler aufnehmen.

Max war für den Sonntagsbesuch beim Großvater vorgesehen, die Eltern hatten beide keine Zeit. Auf dem Flur traf er eine kräftig gebaute Krankenschwester, die ihm auf die Schulter klopfte.

»Na, junger Mann«, meinte sie, »in deinem Alter macht man nicht so ein trübsinniges Gesicht! Ich sage immer: Kopf hoch, auch wenn der Hals nicht gewaschen ist!«

Max fuhr unwillkürlich mit der Hand unter seinen Kragen.

Aber sie war noch nicht fertig: »Ehrlich gesagt, sind wir froh, wenn euer Opa unser gastliches Haus endlich verlässt. Nach einer Narkose benehmen sich einige der Senioren wie im Bordell.«

Max erstarrte. Sein feiner Großvater, der Griechisch und Latein sprach? War das ein Witz? Wie meinte sie das?

»Er zwickt die Putzhilfe in den Hintern und begrabscht das weibliche Pflegepersonal«, erklärte sie. »Und versuchen Sie erst mal, ihn zu füttern! Wir haben bei Gott keine Zeit dafür. Den Tee muss er nicht unbedingt trinken, wir haben ihn heute bereits an den Tropf gehängt.«

Auf dem Serviertisch stand eine zugedeckte Schüssel. Max hob den Deckel ab und roch an der lauwarmen Linsensuppe. Sein Großvater schlief, blinzelte aber ein wenig, als Max mit dem Löffel klapperte. Inzwischen wusste Max, wie man den Patienten in Sitzstellung brachte, stopfte ihm die Serviette in den Ausschnitt und versuchte, ihm einen Löffel Suppe einzuflößen. Der Alte presste die Lippen fest aufeinander.

Besonders gut schmeckte Max das fade Linsengericht zwar nicht, aber er aß alles auf.

»Worauf hättest du denn Lust, Opa?«, fragte er.

»Vanillepudding«, hauchte der Alte.

»Kopf oder Schwanz?«, fragte Max und bemerkte, dass der Sterbende ein klein wenig lächelte.

»Wenn du erst bei uns bist, kriegst du jeden Tag einen großen Pudding für dich allein«, versprach Max.

Sein Großvater reagierte zwar nicht mit lautem Jubel, nickte aber zustimmend. Dann schloss er die Augen, drehte sich zur Wand und schlummerte wieder ein. Schon halb im Traum murmelte er: »Willst du schon gehen, Ilsebill?«

Max öffnete die Nachttischschublade und wühlte darin herum. Kreuzworträtsel, der Ehering, Papiertaschentücher, die sein Großvater eigentlich hasste, Nasensalbe, die Brieftasche mit Führerschein, Ausweis und Kreditkarte. Außerdem der Schlüssel für den Safe.

Am Abend räumte Max alles Geld aus dem kleinen Tresor – insgesamt etwa 3000 Euro. Er war sehr erleichtert, dass er für die nächste Zeit seine Ratenzahlungen pünktlich leisten konnte. Vielleicht gelang es ihm sogar, mittels der Kreditkarte Geld vom Konto seines Großvaters abzuheben, selbst wenn er vorläufig die Geheimzahl nicht kannte. Es war ja auch kein richtiger Diebstahl, denn er würde demnächst die gesamte Pflege übernehmen, und dafür stand ihm ein angemessenes Gehalt zu.

Petra staunte über die vielen hässlichen und sperrigen Gegenstände, die man am Montag in das Zimmer ihrer Tochter schleppte. Der Angestellte des Sanitätshauses, der im Auftrag der Krankenkasse die Leihgaben verwaltete, erklärte ihr die Funktionen des Pflegebettes.

»Der Lattenrost hat mehrere Möglichkeiten zur Hochlagerung. Die Höheneinstellung der gesamten Liegefläche kann elektrisch verstellt werden, die Seitengitter können zur Sicherung hochgezogen werden. Schließlich dient der Triangelgriff, auch Galgen genannt, zum selbständigen Hochziehen des Kranken ...«

Petra ließ sich auch die Bedienung von Badewannenlift, Gehhilfe und fahrbarem Toilettenstuhl zeigen. Zum Glück hatte sie bereits am Vormittag gemeinsam mit Max Mizzis Bett und andere Möbelstücke in den Keller geschleppt, denn das hübsche Balkonzimmer sah jetzt schon aus wie ein vollgestopftes Warenlager. Sie hätte heulen können.

Vor allem aber ärgerte sie sich über ihren Mann. Nach stundenlangem Herumtelefonieren hatte er schließlich in einem Hospiz Erfolg, wo man seinen Vater sofort aufnehmen konnte. Allerdings hatte die Sache einen entscheidenden Haken – eine Entfernung von etwa 200 Kilometern. Petra und Max hatten so heftig protestiert, dass Harald aus der Haut fuhr. Sie sollten ihm gefälligst den Buckel runterrutschen, hatte er geblafft, aber auf keinen Fall erwarten, dass er sich an der Pflege des Alten beteiligen werde.

Max dagegen machte Pläne, wie er dieses Zimmer einrichten wollte, wenn sein Opa demnächst unter der Erde liegen würde. Der Wunsch gleichaltriger Kommilitonen, möglichst früh aus dem elterlichen Haus auszuziehen, war ihm fremd.

Der Balkon ging nach Westen und wurde am Nachmittag von der Sonne aufgeheizt – vielleicht sollte er im Frühling ein paar Palmen anschaffen und sich einen tropischen Garten vorgaukeln. Dazu gehörte auf jeden Fall eine Hängematte und vielleicht ein Papagei. Eine geschützte Insel im

Grünen, zu der kein Eindringling Zutritt hatte. Falko, dieser unbarmherzige Geldeintreiber, würde wohl kaum das Risiko eingehen und an der Haustür klingeln. Er wusste sehr wohl, dass Harald Knobel bei der Stadt angestellt war und beste Kontakte zur Polizei und dem Ordnungsamt hatte.

Die nächsten drei Tage wollte sich Petra ursprünglich freinehmen, obwohl sie nie ein gutes Gefühl hatte, wenn die drei Aushilfskräfte ihren Laden übernahmen. Doch konnte sie Max jetzt nicht allein lassen, wo Gespräche mit dem Amtsarzt, mit der Leiterin eines ambulanten Pflegedienstes und dem Hausarzt anstanden. Wenn Max mit der Pflege einigermaßen klarkam und sich alles erst einmal eingespielt hatte, wollte sie ihm freie Hand lassen.

Am Dienstagmorgen wurde der Alte in liegendem Zustand angeliefert und in seinem neuen Pflegebett abgelegt. Begreiflicherweise war er vom Transport sehr mitgenommen, Petra fühlte seine Stirn und befand sie für zu heiß. Sie werden ihn doch nicht mit Fieber entlassen haben, dachte sie. Leider besaß sie kein Ohrthermometer, Max wollte möglichst bald eines besorgen. Da der Patient in einen erschöpften Dämmerschlaf fiel, konnte man ihn erst einmal allein lassen.

»Zum Erbarmen, dieses Häufchen Elend«, sagte Petra zu ihrem Sohn. »In etwa einer Stunde wird Doktor Ofenbach vorbeikommen, ich hoffe doch sehr, dass er keine therapeutischen Winkelzüge vorhat, sondern den Willen deines Großvaters erkennt und ihn in Ruhe einschlafen lässt.«

»Ich glaube, Opa hat sich nie um eine Patientenverfügung gekümmert«, sagte Max, »denn eigentlich ist er eine Kämpfernatur.«

»Wie kommst du denn darauf?«, fragte Petra etwas ungeduldig und erhielt keine Antwort.

Dr. Ofenbach, der langjährige Hausarzt der Familie, betrachtete sich den schlafenden Patienten. Falls sein Kollege – der Amtsarzt – ihn in diesem moribunden Zustand sähe, würde er ihm bestimmt die höchste Pflegestufe zubilligen, meinte er. Außerdem versprach er, den Todeskampf des Kranken zu erleichtern, wenn es nötig werden sollte.

»Man ist heute nicht mehr so streng, wenn es darum geht, die letzten Stunden durch Morphium erträglich zu machen«, sagte er, »aber es ist trotzdem mit viel bürokratischem Aufwand verbunden. Im Übrigen sagten Sie mir ja schon, dass er Essen und Trinken verweigert. Das kenne ich von vielen Hochbetagten – sie wollen einfach nicht mehr leben. Nach einer Woche ist es meistens vorbei, und sie schlafen friedlich ein; wir Ärzte und auch die

Angehörigen sollten den Willen eines Patienten respektieren.«

Petra war erleichtert, Max sagte nichts.

Die Chefin des ambulanten Pflegedienstes war eine praktisch denkende, erfahrene Frau. Sie lüpfte Decke und Hose des schlafenden Patienten und prüfte, ob er eine Windel trug. Dann schrieb sie auf, welche Inkontinenz-Slips zu besorgen waren. Schließlich besprach sie mit Petra, wie oft eine Altenpflegerin kommen und welche Aufgaben die Familie selbst übernehmen sollte. Man einigte sich darauf, dass zweimal am Tag Waschen, Windeln, An- und Ausziehen sowie Bettenmachen von Profis erledigt würden, während Max und Petra für den Rest zuständig waren.

Wenn er nichts mehr isst und trinkt, sondern nur noch schläft, ist das machbar, dachte Petra. Sie beschloss, schnell noch zu ihrem Buchladen zu fahren und dort nach dem Rechten zu schauen. Max sollte sie anrufen, wenn am späten Nachmittag die Altenpflegerin eintraf. Die wollte sie sich genauer ansehen.

Schließlich war Max mit seinem Großvater allein. Lange saß er bei ihm am Bett und lauschte auf den rasselnden Atem. Irgendwann meinte er, es sei Zeit für den versprochenen Pudding.

»Opa!«

Spielerisch drückte Max auf den Schalter, der die Matratze in Sitzstellung hochfuhr.

»Opa!«

Max ließ den Alten ein wenig schaukeln, hoch und nieder, rauf und runter.

»Opa!«

»Ilsebill, was ist?«

»Möchtest du jetzt deinen Pudding essen?«

»Jetzt noch nicht. Ein voller Bauch studiert nicht gern.«

Immerhin, eine Reaktion. Max holte den Fertigpudding und einen Löffel und stellte das Bett per Knopfdruck in die steilste Position.

»Mund auf!«

Zu seiner Verwunderung gehorchte der Alte und aß den ganzen Becher leer, es dauerte allerdings eine gute halbe Stunde. Dazwischen trank er auch ein paar Schlückchen Wasser. Max war richtig stolz.

Als es klingelte, rief Max seine Mutter an, noch während er die Treppe zur Haustür hinunterflitzte.

Die erwartete Pflegerin stand vor ihm. »Ich bin die Jenny«, sagte sie, und er führte sie nach oben.

»Guten Tag, Herr Knobel«, rief sie vernehmlich und ergriff die Hand des Alten. »Wie geht es Ihnen heute?«

Der Großvater strahlte. »Bei diesem Anblick ganz ausgezeichnet!«, sagte er.

»Dann wollen wir Sie mal ein bisschen frisch machen«, sagte Jenny und bat um eine Schüssel, ein Badelaken, zwei Handtücher, zwei Waschlappen und Seife; ein paar Senioren-Windeln hatte sie mitgebracht. Max zeigte ihr das Badezimmer und ging wieder zur Haustür, um seine Mutter abzufangen.

»Und?«, fragte sie atemlos. »Wie hat's geklappt? Was ist es für eine?«

»Weiß man noch nicht«, sagte Max. »Blond und nett, glaub' ich.«

5

Mittwoch früh stellte sich eine zweite Pflegerin, Schwester Kriemhild, vor. Eine gestandene Frau, stattlich und stark, mütterlich und einfühlsam.

Genau wie ihre Kollegin Jenny ergriff sie die Hand des Alten und hielt sie eine Weile, nannte ihren Namen, fragte nach seinem Befinden und wie er geschlafen habe. Willy Knobel antwortete nicht. Schwester Kriemhild fackelte nicht lange, ließ sich die Waschsachen zeigen und suchte das Gebiss. Max hatte es bisher noch nicht aus der Seifendose herausgenommen.

Sie reinigte die dritten Zähne mit Zahnpaste und -bürste, trat erneut ans Krankenbett und sagte freundlich: »Herr Knobel, machen Sie mal bitte den Mund auf!«

Er reagierte nicht, sie seufzte. Ratlos standen Max und Petra daneben, doch Schwester Kriemhild blieb gelassen.

»Na, dann eben nicht. Aber ein bisschen waschen und rasieren muss sein...«

»Von Ihnen lass ich mir schon gar nichts befehlen, Sie alte Fregatte«, sagte der Alte plötzlich.

Schwester Kriemhild lachte und bat die Angehörigen, sie mit dem Patienten allein zu lassen. Nach einer halben Stunde polterte sie die Treppe herunter, rief laut »Hallo« und meldete Erfolg.

»Ein kleiner Machtkampf. Er stammt wohl in direkter Linie von Napoleon ab«, stellte sie fest.

Schwester Kriemhild hatte noch mehrere Anliegen. Als Erstes verlangte sie zwei Hausschlüssel, einen für die Früh-, einen für die Spätschicht. Dann könne man auch hereinkommen, wenn mal keiner zu Hause sei; die Pflegerinnen müssten ein immenses Pensum bewältigen und könnten nicht lange auf Einlass warten. Im Bad müssten vier zusätzliche Haken angebracht werden, jeweils mit der Beschriftung *oben* und *unten* für Waschlappen und Handtücher. Sie brauche Franzbranntwein, eine fettende Hautcreme und Inkontinenz-Vorlagen aus der Apotheke.

»Es handelt sich um große Kartons«, sagte sie. »Auch in diesem Haus brauchen wir einen festen Platz dafür.« Sie sah sich suchend um.

»In Mizzis Kleiderschrank«, sagte Petra traurig. Im Bad nahm der Wannenlift bereits sehr viel Raum ein.

Schließlich war Schwester Kriemhild davongefahren, Max hatte in der Apotheke eingekauft und zwei Sechserpackungen mit Vanillepudding vom Supermarkt mitgebracht. Damit war für seine Mutter alles erledigt.

»Kommst du allein zurecht?«, fragte sie und machte, dass sie in ihren Laden kam.

Max trat erneut an das Bett des Großvaters, der ihn mit waidwundem Blick anschaute.

»Wichtiger als Hygiene sollte doch wohl ein Frühstück sein«, klagte er.

»Möchtest du Kaffee und ein Brötchen mit Marmelade?«

»Pudding!«

Diesmal ließ er sich zwei Becher verfüttern und trank Schluck für Schluck eine große Tasse Kaffee.

»Wo bin ich überhaupt?«, fragte er.

Max wollte es ihm erklären, aber sein Großvater schlief schon wieder.

Vom Büro aus rief Harald seine Tochter in Berlin an, denn er wusste, dass ihre Lebensgefährtin vormittags nicht zu Hause war, diese Jasmin, die seine Mizzi verführt hatte.

»Haben sie es dir überhaupt schon gesagt?«, fragte er. »In deinem Zimmer sieht es aus wie auf einer Krankenstation. Opa liegt dort im Bett und wird von einer Pflegerin gewaschen. Aber keine Sorge, er wird es nicht mehr lange machen ...«

»Sorge? Von mir aus kann er hundert werden«, sagte Mizzi leicht genervt. »Ich brauche dieses Zimmer nicht mehr. Meine persönlichen Sachen habe ich längst mitgenommen. Hebt aber bitte Omas Damastbettwäsche für mich auf. Und die Puddingform.«

Harald dämmerte, dass er seine Tochter nicht als Verbündete gewinnen konnte. Um nicht ihre Ungeduld oder gar ihren Zorn zu provozieren, fragte er schnell nach dem Wetter.

»In Berlin ist es immer kälter als bei euch«, sagte Mizzi, »bekommt mir viel besser als das lasche Bergstraßenklima. Grüß Mama und Max. Tschüs, Papa.«

Am Nachmittag wurde der Amtsarzt gegen drei Uhr erwartet. Petra kam kurz vorher nach Hause, damit diese letzte Hürde in ihrem Beisein überwunden werden konnte. Ihr Schwiegervater schlief.

»Warum muss denn schon wieder ein Doktor seinen Senf dazugeben?«, fragte Max.

»Weil es von seinem Gutachten abhängt, ob die Krankenkasse den Pflegedienst ganz, teilweise oder gar nicht bezahlt«, sagte seine Mutter. »Als erfahrener Arzt wird er sofort erkennen, dass es sich um das Endstadium eines Schwerkranken handelt.«

Ganz sicher schien sie sich allerdings nicht zu sein, denn sie hüstelte andauernd und sah immer wieder auf die Straße hinaus.

Der Amtsarzt kam pünktlich, ließ sich erst von Petra einen kurzen Bericht erstatten und stapfte dann die Treppe hinauf.

»Guten Tag, Herr Knobel«, sagte er vernehmlich. »Ich habe gehört, dass Sie krank sind. Wie geht es Ihnen heute?«

Der Alte war hellwach und grinste.

»Prächtig, prächtig«, sagte er. »Sie wissen ja: *medicus curat, natura sanat.*« Offenbar war er froh, endlich einen Kundigen gefunden zu haben, der Latein verstand.

Petra flüsterte ihrem Sohn ins Ohr: »Der Arzt behandelt, die Natur heilt – oder so ähnlich.«

Zum Doktor gewandt, meinte sie leise: »Die Folgen der Narkose …«

Nach der Untersuchung nahm der Amtsarzt bei Petra und Max im Wohnzimmer Platz. Punkt für Punkt füllte er einen Fragebogen aus, wobei er jedes Mal seinen schweren Kopf hob, um die Angehörigen prüfend zu mustern.

»Kann er selbständig essen oder muss er gefüttert werden?«, fragte er.

»Er verweigert jegliche Nahrung«, sagte Petra.

Max schwieg meistens und überließ es seiner Mutter, den Großvater zu beurteilen.

»Würden Sie sein Naturell eher als freundlich, zugewandt, depressiv oder aggressiv bezeichnen?«

»Eher als schwierig und uneinsichtig«, antwortete Petra.

»Ist er zeitlich und örtlich orientiert?«

»Nein, er ist häufig verwirrt und halluziniert gelegentlich.«

Und so ging es weiter, bis der Arzt fertig war und sich verabschiedete. »Sie erhalten demnächst ein Schreiben der zuständigen Krankenkasse«, meinte er und ließ nicht durchblicken, zu welchem Ergebnis er gekommen war.

»Komische Leute«, sagte der Alte zu Max. »Erst diese Grimmhild – *nomen est omen!* Und dann so ein Scharlatan! Hat mir noch nicht einmal den Puls gefühlt! Übrigens gefiel mir die Blonde von gestern am besten. Aber jetzt ist hoffentlich Puddingzeit.«

Max teilte die Meinung seines Großvaters. Vor allem was Jenny anging. Doch wie viele Portionen Pudding hatte der Opa eigentlich schon verputzt, und ob diese Diät die richtige war? Egal, einem Sterbenden sollte man alle Wünsche erfüllen.

Am späten Nachmittag sah Petra die leeren Puddingbecher im Mülleimer und schüttelte missbilligend den Kopf. Sobald die Geschichte mit dem Kranken ausgestanden war, würde sie dafür sorgen, dass Max regelmäßig in die Mensa ging.

Zum Abendessen gab es Grünkohl aus der Tiefkühltruhe, Bratkartoffeln und Fleischkäse. Eigentlich schmeckte es allen dreien nicht.

»Und?«, fragte Harald. »Wie geht's Herrn Knobel senior?«

»Höchste Zeit, dass du dir selbst ein Bild machst«, entgegnete Petra scharf. »Du solltest von deinem Vater Abschied nehmen, ehe es zu spät ist.«

»Bist du eine Hellseherin? Vielleicht überlebt er uns alle!«

»Auf keinen Fall«, protestierte Petra. »Doktor Ofenbach sagt, wenn ein Todkranker feste und flüssige Nahrung verweigert, dauert es etwa eine Woche bis zum Ende. Und die Woche deines Vaters hat nur noch ein paar Tage.«

Max erklärte nun doch: »Opa hat Wasser getrunken.«

Seine Eltern sahen ihn verblüfft an.

»Man sollte ihn in Ruhe lassen«, meinte Petra. »Es ist doch klar, dass er nicht mehr leben will.«

»Er hatte aber Durst!«, sagte Max.

Harald schüttelte den Kopf: »Nein, wirklich?«

Max stand auf und floh. Hatten seine Eltern etwa vor, den Alten verhungern und verdursten zu lassen? Schon halb auf der Treppe hörte er, wie die Haustür leise aufgeschlossen wurde. Er drehte sich um und winkte Jenny zu, die im Gegensatz zu ihrer Kollegin auf leichten Turnschuhen daherkam.

Sie war ein bisschen größer und wohl auch älter als er, hatte die blonden Haare zu einem dicken Zopf geflochten und trug einen kurzen rosa Kittel über ihren weißen Hosen. Max roch Lavendel und eine kürzlich gerauchte Zigarette.

»Hallo«, sagte er.

»Wie geht's deinem Opa?«, fragte sie. »Heute will ich mal versuchen, ihn aufs Klo zu setzen. Vielleicht kannst du mir dabei helfen.«

Der Alte wurde ziemlich ärgerlich, als Jenny und Max ihn an den Rand der Bettkante zogen und schließlich auf den herbeigerollten Toilettenstuhl bugsierten. Als er endlich mit heruntergezogenen Hosen Platz genommen hatte, brüllte er: »Raus jetzt! Alle beide! Aber dalli, dalli!«

»Wir sind hier nicht bei Knigges«, sagte Jenny, ging aber mit Max vor die Tür, die sie allerdings nur anlehnte.

»Ich habe ihn noch nie nackt gesehen«, sagte Max. »Es muss ihm tierisch peinlich sein ...«

»Meistens dauert das ein Weilchen bei den alten Männern«, sagte Jenny. »Dann kann ich ja schnell eine rauchen.«

»Darfst du das?«, fragte Max.

»Wenn du nichts dagegen hast«, sagte sie und steckte sich eine Zigarette an. Während sie inhalierte, behielt sie den Patienten im Auge.

»Dass er uns bloß nicht kollabiert.«

»Machst du das eigentlich gern?«, fragte Max.

»Früher wollte ich Polizistin werden«, sagte Jenny, »doch das hat nicht geklappt.«

»Und ich wollte Medizin studieren. Aber vielleicht werde ich einfach Altenpfleger.«

»Willkommen im Club!«

Schließlich gingen beide wieder hinein. Der Alte hatte keinen Erfolg gehabt und war übelgelaunt und ungnädig.

»Ihr riecht nach Rauch«, sagte er. »Wenn ich endlich eine Zigarre kriege, kommt auch die Verdauung wieder ins Lot.«

Schwer atmend lag er dann im Bett. Jenny ging ins Bad und wusch sich gründlich die Hände. Die Ärmel hatte sie hochgestreift, und Max entdeckte an jedem Unterarm eine Tätowierung.

»Drachen und Schmetterling«, sagte er, »beide können fliegen!«

»Eine Jugendsünde«, meinte Jenny. »Wenn ich

mal zu Geld komme, lass ich es mir wieder weg-machen.«

»Schade«, fand Max. »Sollte ich ihm wirklich eine Zigarre bringen? Meine Eltern würden mich steinigen!«

»Sie müssen es ja nicht unbedingt mitkriegen. Und ich kann schweigen. – Was war dein Großvater eigentlich für ein Mensch? Ich meine, als es ihm noch gutging …«

»In den letzten zwei Jahren ist er sehr gealtert, saß vor dem Fernseher und moserte vor sich hin. Aber als meine Großmutter noch lebte, war er ziemlich fit. Die beiden sind gern spazieren gefahren, er hat viel gelesen und ist ab und zu mal mit mir ins Kino gegangen. Einmal im Monat wurden wir zum Essen eingeladen. Meine Oma kochte gut, Klöße und Schweinebraten. Oder Hühnerfrikassee mit Reis.«

»Und hinterher ein Eis?«

»Nein, Fisch! Vanillepudding in einer Fisch-form, dazu eingemachte Sauerkirschen aus dem Garten.«

»Lecker«, sagte Jenny und verabschiedete sich.

Max pfiff vor sich hin und war auf einmal bester Laune. Jenny würde jetzt jeden Abend hier auf-kreuzen.

Die Puddingdiät zeigte Wirkung. Der Großvater verlangte am nächsten Tag ein anständiges Mittagessen. Max dachte an die Gerichte seiner Großmutter und kaufte tiefgefrorene Königsberger Klopse und Kartoffelbrei aus der Tüte. Der Alte verputzte eine mittlere Portion, den Rest würzte Max mit viel Curry und Pfeffer und aß ihn selbst.

»Wer bezahlt eigentlich die Pflegerin?«, fragte Willy Knobel und dehnte sich wohlig. Er hatte endlich ein sattes warmes Gefühl im Magen.

»Wahrscheinlich doch die Krankenkasse, also die Pflegeversicherung«, sagte Max. »Aber wir wissen noch nicht, wie der Amtsarzt dich eingestuft hat.«

Der Alte dachte eine Weile nach. »Und wer bezahlt mein Essen?«

Max hatte bisher alles mit dem Geld seines Großvaters beglichen und antwortete etwas vage: »Opa, du wohnst schließlich bei deinem Sohn!«

Wieder längeres Grübeln.

»Ich lasse mich doch nicht vom Diplom-Ingenieur aushalten! Junge, du musst auf die Bank und Geld für mich abheben. Ich schreibe dir eine Vollmacht.«

»Die Geheimzahl oder ein Barscheck würde genügen«, meinte Max und sah einen erschreckten Blick. Willy Knobel misstraute Geheimzahlen und

Schecks, denen man leicht eine Null anhängen konnte.

Am Abend stieß Harald an der Haustür beinahe mit einer fremden Person zusammen, die einen dicken Schlüsselbund aus der Tasche zog und aufschloss.

»Hallo, ich bin die Jenny«, sagte sie und strahlte ihn an.

Verständnislos und wider Willen lächelte Harald zurück.

Dann erst sah er die weiße Hose und begriff. So weit war es schon gekommen, dass wildfremde Menschen einen Schlüssel zu seinem Haus besaßen. Doch er brachte es nicht fertig, diese junge, fröhliche Frau anzuschnauzen.

»Ihrem Vater geht es von Tag zu Tag besser«, plauderte Jenny, während beide in den Flur traten. »Ihr Sohn bemüht sich ja auch rührend um seinen Opa.«

»Und ich dachte, er liegt im Sterben«, sagte Harald verwundert.

»Machen Sie sich keine Sorgen«, sagte Jenny, »den kriegen wir schon wieder hin!«

Harald Knobel sagte nichts mehr. Voller Ingrimm hängte er seinen Mantel auf und verschwand erst einmal in seinem Arbeitszimmer. So haben wir nicht gewettet!, dachte er. Dann ging er ins Bad, um sich nach einem langen Arbeitstag die Hände zu waschen – und stolperte fast über den Badewannenlift. Auf der Konsole stand sein eigenes Rasierzeug direkt neben Franzbranntwein, Fettsalben und einer Gebissschale.

Im Bad hatte Petra seit langem einen Brauch aus ihrer eigenen Familie eingeführt. Nach »Petras Farbenlehre« hatte jedes Mitglied der Familie eine bestimmte Farbe für Handtücher, Waschlappen und sogar für die Bademäntel. Petra hatte Rot für sich selbst gewählt, für Harald Blau; später, als die Kinder dazukamen, erhielt Mizzi die Farbe Rosa und Max bekam Gelb zugewiesen. Natürlich wurde die reine Lehre mit der Zeit verwässert, weil es Handtücher in schicken Streifen und Mustern gab, die Petra unbedingt kaufen wollte. Aber Harald war konservativ und blieb bei seinem Blau. Nun sah er mit Befremden die neu angebrachten Haken mit einem dunkelblauen Waschlappen für unten und einem gelben für oben. Sein eigener hing in direkter Nachbarschaft neben dem seines Vaters und konnte ohne weiteres verwechselt werden.

Nebenan in Mizzis Zimmer hörte er Max und Jenny lachen. Es roch nach Zigaretten. Petra schien noch nicht zu Hause zu sein, in der Küche war es dunkel. Von wegen: Machen Sie sich keine Sorgen, den kriegen wir schon wieder hin! Wollte ihn sein Vater nur aus dem eigenen Haus hinausekeln?

Zum ersten Mal überlegte Harald ganz bewusst, wie man beim Ableben seines Vaters etwas nachhelfen könnte. Noch würde es der Hausarzt für selbstverständlich halten, wenn der Patient schwächer und schwächer wurde und nach längerer Nahrungsverweigerung friedlich entschlief. Also musste auf jeden Fall verhindert werden, dass Max dem Alten Wasser ans Bett brachte.

6

Spätabends beschloss Harald endlich, in Mizzis Zimmer vorbeizuschauen, um sich selbst ein Urteil über den Zustand seines Vaters zu machen. Seine Frau war immer noch nicht aufgetaucht.

Die Leselampe brannte, der Alte war wach und rief: »Sieh mal einer an, der Wolf kommt zum Großvater!«

»Wie geht es dir?«, fragte Harald leicht befangen. »Fühlst du dich wohl hier?«

»*Ubi bene, ibi patria!*«, kam die Antwort.

»Ich verstehe kein Latein«, sagte Harald ärgerlich. »Auf einem so hohen Niveau kannst du mit deinem missratenen Sohn nicht kommunizieren.«

Auf dem Nachttisch standen eine Pillenpackung, ein Wasserglas, zwei leere und ein halbvoller Puddingbecher. Harald betrachtete das Stillleben mit gerunzelter Stirn.

»*Ubi* heißt wo und *ibi* heißt dort. Also: Wo es mir gutgeht, da fühle ich mich zu Hause«, übersetzte der Alte. »Eigentlich wollte ich ja wieder nach Dossenheim zurück, aber man hat mich *nolens volens* hierherverfrachtet. Es gefällt mir im

Grunde nicht schlecht bei euch, allerdings *cum grano salis*. Denn diese Grimmhild ist ein Besen.«

»Wer soll das denn sein?«

»Na, das Flintenweib, das mich morgens malträtiert. Die Kleine am Abend ist reines Gold. Sie kam, sah und siegte.«

»Wenn es dir jetzt bessergeht, könntest du ja in ein Altenheim umsiedeln, dort wirst du optimal versorgt.«

»Pfui Teufel, alles, nur das nicht! Besser als Max und die Kleine kann es keiner machen. Ich bleibe hier, Mizzi braucht das Zimmer ja nicht mehr. Sie wird sicherlich bald heiraten.«

»Und was soll aus deinem Haus werden?«

»Ich könnte es zum Beispiel vermieten und euch die Einnahmen überlassen – für Kost und Logis. Wenn du mich allerdings loswerden willst, dann ändere ich mein Testament.«

Waren das nun ganz neue oder doch eher uralte Töne?, überlegte Harald. Na warte, hier habe noch immer ich das Sagen!

»Gute Nacht!«, sagte er laut, schob ein unhörbares »Kotzbrocken« hinterher und verließ den Raum. Max war unauffindbar, schien wie meistens im Kino zu hocken.

Sehr schlechtgelaunt verzog sich Harald schließlich ins Bett, wollte die Zeitung lesen, blieb bei einem hämischen Leserbrief über die Unfähigkeit der Stadtverwaltung, insbesondere des Tiefbauamtes, hängen und fragte sich immer wieder, wo eigentlich Petra steckte. Als ihm gegen Mitternacht plötzlich einfiel, dass heute die Lesung einer bekannten Schriftstellerin war, kam Petra zur Tür herein.

»Warum bist du denn nicht gekommen?«, fragte sie vorwurfsvoll und kickte ihre Stiefel in die Ecke. »Alle haben nach dir gefragt! Du hast wirklich viel versäumt, sie war einfach großartig. Hinterher waren wir noch beim Italiener, da hättest du dich gut unterhalten! – Max kam leider viel zu spät, aber wenigstens hat er geholfen, die Klappstühle in den Keller zu schleppen.«

Sie verschwieg, dass Max einen Hunderter dafür erhalten hatte.

Harald hörte nichts als Aggression aus ihren Worten heraus.

»Ich habe – wie befohlen – nach Vater gesehen«, sagte er. »Meinst du, das hätte mir Spaß gemacht?«

Er griff nach Teelöffel und flüssigem Tranquilizer, den ihm Dr. Ofenbach verschrieben hatte. Die Tropfen konnte er so schwach dosieren, dass er schnell einschlief und am nächsten Tag fit war. Dann löschte er das Licht.

Im Traum saß er mit seinem zum Skelett abgemagerten Vater zusammen und trank Cognac. Als er durch einen lauten Seufzer seiner Frau wach wurde und auch blieb, traute er sich nicht, zum zweiten Mal die Tropfen einzunehmen. Er wälzte sich schlaflos im Bett. Alle möglichen Gedanken schwirrten ihm durch den Kopf.

Der Alte hatte fast nie Bier getrunken, das er als bayerisches Proletengesöff bezeichnete. Mit seiner Frau trank er sonntags immer ein paar Gläser Wein, aber nach ihrem Tod hatte er sich das abgewöhnt. Es gab kein gutes Essen mehr, zu dem ein edler Tropfen gepasst hätte. Gegen Whisky, Wodka, Obstler oder Slibowitz hatte er jedoch nichts einzuwenden. Sein »wärmstes Jäckchen« war aber ein »Kon-Jäckchen«, wie er gern kalauerte, und er konsumierte es regelmäßig und nicht zu knapp.

Wenn man ihm sein Lieblingsgetränk anböte, würde er sicher nicht nein sagen. Und wenn man den braunen Drink ein wenig anreicherte – etwa mit dem flüssigen Schlafmittel –, dann würde es der Alte überhaupt nicht merken. In diesem hohen Alter konnte ein langer und tiefer Schlaf durchaus in einen ewigen übergehen.

Die Eltern waren schon beide fort, als Schwester Kriemhild am Freitag gegen neun Uhr morgens hereinstapfte.

»Es ist höchste Zeit, dass er gebadet wird!«, rief sie. »Wofür haben wir denn den Lift!«

Max sah zu, wie sie Wasser einlaufen ließ und den schweren Apparat auf den Wannenrand hievte. Sie leierte eine kurze Erklärung herunter: Ohne sich über Gebühr anzustrengen, konnten die Patienten auf der Sitzfläche Platz nehmen und wurden dann langsam bis auf den Wannenboden abgesenkt. Max sollte daran denken, den Akku des Badewannenlifts regelmäßig aufzuladen.

»Weil es das erste Mal ist, könnten Sie mir bitte ein wenig helfen«, sagte sie. »Er wird sich nämlich sträuben. Aber wenn sie sich erst einmal im warmen Wasser aalen, sind die meisten alten Leutchen richtig glücklich.«

Wie zu erwarten, gab es heftigen Protest.

»Bin ich denn so dreckig, dass ich das nötig habe?«, fragte der Alte, und Max bejahte lachend. Es war allerdings keine einfache Prozedur, den Kranken ins Bad zu rollen, auszuziehen und schließlich zu fluten. Aber Schwester Kriemhild hatte recht – als er endlich vom heißen Wasser umspült wurde, lächelte er wie ein satter Säugling.

»Wir lassen ihn jetzt ein paar Minuten spielen«, sagte die Schwester. »Bleiben Sie bitte bei ihm, ich beziehe unterdessen das Bett.«

Max rümpfte die Nase.

»Es riecht nach nassem Hund!«, stellte er fest.

»Für heute hat er genug geleistet«, meinte die Pflegerin. »Aber ab morgen werde ich damit beginnen, ihn zu mobilisieren. Tag für Tag lassen wir ihn ein Stück weiter am Rollator laufen. Sie werden sehen, in ein paar Wochen braucht er nur noch eine Krücke.«

Als sie ging, hatte die wackere Schwester Kriemhild einen Haufen schmutziger Wäsche hinterlassen.

»Ich fühle mich wie neugeboren«, sagte der Alte. »Seltsamerweise war das Bad die reinste Wohltat, doch jetzt ist ein Nickerchen fällig.«

»Sag mir vorher bloß noch, was du heute essen willst«, verlangte Max.

»Hühnerfrikassee mit Reis, und danach eine Zigarre. Wenn du sowieso einkaufen musst, dann bringe bitte Kreuzworträtsel mit, denn es wird mir allmählich langweilig.«

Zum Mittagessen war er wieder wach, aß mit Appetit und betrachtete sich dabei das Rätselheft.

»Diese kleingedruckten Fragen kann ich kaum lesen«, sagte er. »Wo ist eigentlich meine Brille?«

»Wahrscheinlich liegt sie noch in Dossenheim. Wenn es wichtig ist, fahre ich hin und hole sie dir.«

»Und ob es wichtig ist! Aber wenn du schon mal

dort bist, dann kannst du auch gleich Geld aus dem Tresor herausnehmen, am besten alles. Ich möchte es gern hier in Sicherheit wissen.«

»Und wo ist der Schlüssel?«, fragte Max scheinheilig. Sein Großvater meinte, der hinge unter der Puddingform.

»Wie viel Kohle hast du denn gebunkert?«, fragte Max.

»Weiß nicht mehr genau, etwa 1000 Euro. Und wenn du sowieso hinfährst, dann könntest du mir auch den Fernseher herschaffen. – Und mein Briefkasten wird überquellen!«

»Noch was?«

»Meine Zigarren!«

Immerhin brauchte man jetzt nicht die gesamte Barschaft wieder herauszurücken, dachte Max erleichtert. Trotzdem war er enttäuscht, als er sich ins Auto setzte. Vielleicht fand er in Opas Haus etwas anderes, das sich verscherbeln ließ. Es war unwahrscheinlich, dass der Alte sein früheres Heim jemals wieder betreten würde. Da hing zum Beispiel ein Ölgemälde über dem Sofa, das seine Großmutter sehr geschätzt hatte, vielleicht war es ja eine Art Rembrandt. Diesen Gedanken verwarf er schnell, denn sein Vater würde das Bild sofort vermissen, kleinere Gegenstände waren unauffälliger.

Als Petra müde nach Hause kam, hörte sie einen ohrenbetäubenden Lärm aus dem oberen Stockwerk. Noch im Mantel lief sie hoch und riss die Tür zum Krankenzimmer auf. Dort saß der Alte steil aufgerichtet im Bett, die Fernbedienung wie einen Colt in der ausgestreckten Hand. Auf Mizzis kleinem Schreibtisch stand ein Fernsehapparat, der auf höchste Lautstärke eingestellt war.

Willy Knobel bemerkte seine Schwiegertochter gar nicht.

»Diese Politiker! *Nachhaltig, nachhaltig, nachhaltig* – was für ein blöder Ausdruck«, schimpfte er und zappte auf einen anderen Kanal.

Petra schaltete zornig den Fernseher aus und stampfte mit dem Fuß auf.

»So kann man ja Tote zum Leben erwecken! Wie kommt dieses Monstrum hierher?«

Im Bad fand Petra einen Haufen Schmutzwäsche, darunter ihr nagelneues und allerschönstes Badelaken von Kenzo, das sie noch nie benutzt hatte. Daneben lag ein Zettel: *Herr Knobel braucht drei dicke Fleece-Anzüge für die geplante Mobilisierung, im Pyjama ist er nicht warm genug verpackt. Gruß, Schwester Kriemhild.*

»*We are not amused*«, brummte Petra. Eine schreckliche Vorstellung, dass der *mobilisierte* Alte in Kürze im ganzen Haus herumgeistern würde.

So haben wir nicht gewettet, dachte sie, Harald hat völlig recht, man muss ihn in einem Heim unterbringen, selbst wenn es tausend Kilometer von hier entfernt sein sollte.

Endlich kam Petra dazu, ihre Hausschuhe anzuziehen und in die Küche zu gehen. Sieh mal einer an, heute Mittag hatte Max gekocht – warum tat er das eigentlich nie für seine erschöpften Eltern? Und wieso räumte er das gebrauchte Geschirr nicht in die Spülmaschine? Warum war es immer nur ihre Pflicht, jeden Abend ein warmes Essen auf den Tisch zu bringen? Sie schob den Edelstahltopf wieder in den Schrank, ging ins Wohnzimmer, legte sich aufs Sofa und stellte die Nachrichten an.

Nach einer Weile hörte sie leise Schritte im Flur. Sie fuhr hoch und sah im Geist bereits ihren Schwiegervater herumschlurfen und stürzen. Als sie die Tür aufriss, stand dort stattdessen ihr Sohn dicht neben Jenny; beide machten einen ertappten Eindruck. Das fehlte ja gerade noch, dass Max anfing zu turteln und diese Frau von der Arbeit abhielt.

Überhaupt – das Liebesleben ihrer Kinder verlief völlig anders als erwartet. Mizzi hatte sich schon früh als Lesbe geoutet, was ihr Vater nach wie vor für eine Kinderkrankheit hielt. Und Max hatte nie eine feste Freundin gehabt. Vielleicht war es ja das, was ihm fehlte, um endlich erwachsen zu werden. Oder ob auch er…? Sie wagte kaum daran zu denken, dass Max ebenfalls Interesse für das eigene Geschlecht zeigen könnte. Insofern war ein Flirt mit einer Pflegerin kein schlechtes Zeichen.

Petra hatte mit untrüglichem Mutterinstinkt erkannt, dass es zwischen Jenny und Max gefunkt hatte. Sie wollten heute ins Kino gehen. Jenny konnte allerdings nur die Spätvorstellung besuchen und nach dem letzten Krankenbesuch musste sie erst noch den Firmenwagen zurückbringen. Max sollte sie abholen, denn ein eigenes Auto besaß sie nicht; er war ziemlich aufgeregt, weil er aus ihrer bereitwilligen Zusage schloss, dass sie momentan keinen festen Freund hatte.

Als Harald um acht Uhr abends das Gartentürchen öffnete, hopste ihm Jenny entgegen, die gerade mit ihrer Arbeit fertig war. Sie lächelte wieder so sonnig und unschuldig, dass er fast weiche Knie bekam.

»Kein leichter Beruf, den Sie sich ausgesucht haben«, sagte er freundlich. »Ich wäre kaum dazu fähig!«

»Aber Ihr Sohn«, sagte sie. »Er ist der geborene Altenpfleger!«

»Meinen Sie?«, fragte Harald verständnislos. Sie

zuckte mit den Schultern, winkte kurz und wünschte: »Schönes Wochenende!«

Er sah ihr nach, wie sie vor dem Auto des Pflegediensts stehen blieb und eine Zigarettenpackung aus der Jackentasche fummelte.

Harald schüttelte verunsichert den Kopf, trat ins Esszimmer und sah auf den ersten Blick, dass der Tisch nicht gedeckt war. Nebenan lag seine Frau schlafend auf dem Sofa, der Fernseher lief. Ihre rotgefärbten Haare kontrastierten für seinen Geschmack allzu heftig mit den hellgrünen Seidenkissen, ihre Gesichtszüge waren angespannt, und man sah ihr durchaus an, dass der fünfzigste Geburtstag schon einige Jahre hinter ihr lag. Harald schaltete den Fernseher aus, und schon wurde sie wach.

»Dein Sohn interessiert sich anscheinend für diese Jenny«, sagte sie zur Begrüßung.

»Ich auch«, sagte Harald spaßeshalber und merkte sofort, dass er voll ins Fettnäpfchen getreten war. Das Gesicht seiner Frau verzog sich zu einer einzigen Leidensmiene.

Um zu retten, was zu retten war, strich er ihr über die Mähne. Sie schüttelte seine Hand ab, stand auf und ging in die Küche.

»Max soll endlich den Mülleimer raustragen«, rief sie und setzte Nudelwasser auf. In diesem Augenblick ging der dröhnende Krach im oberen

Stockwerk erneut los – der Alte war wieder auf Sendung.

»Lass nur, ich geh' schon«, rief Harald, nahm die Cognacflasche und einen Schwenker aus dem Schrank und stieg nach oben. Wortlos zog er den Stecker heraus. Sein Vater drehte sich verwundert um.

»Du brauchst Kopfhörer«, sagte Harald, »sonst werden wir alle taub! – Aber bevor du dich aufregst, trink erst einmal einen Schluck.«

Er schenkte ein und hielt seinem Vater ein volles Glas hin.

»Eigentlich sagt man erst mal ›Guten Abend‹«, belehrte ihn der Alte, setzte aber sofort zum Trinken an. »Ganz hervorragend! Das habe ich lange vermisst. Den kannst du mir jeden Tag anbieten.«

»Kriegst du«, versprach Harald und wunderte sich, wie einfach manche Probleme zu lösen waren.

Der Alte hielt das fast leere Glas andächtig gegen das Licht: »Ein goldener Becher wie im *König von Thule*!« Und er zitierte:

> *Es ging ihm nichts darüber,*
> *Er leert ihn jeden Schmaus;*
> *Die Augen gingen ihm über,*
> *So oft er trank daraus.*

Als Petra wenig später zum Essen rief, war Max sofort zur Stelle.

»Der Müll muss raus«, begrüßte sie ihn. »Wie oft soll ich es denn noch sagen! Ich sehe überhaupt nicht ein, dass du weder studierst noch ein Minimum an Hausarbeit übernimmst! Es fällt dir auch kein Zacken aus der Krone, wenn du die schmutzige Wäsche deines Großvaters aus dem Badezimmer bringst.«

»Hätte ich noch getan, aber du kommst mir ja immer zuvor«, sagte Max und schaufelte Nudeln auf seinen Teller.

»Hätte, hätte, hätte! Das kennen wir. Für morgen mache ich eine Liste, was alles erledigt werden muss – wenn du schon für deinen Großvater einkaufst, dann kannst du es auch für uns alle tun.«

Max versprach es, im Augenblick konnte ihm niemand die Laune verderben. Er freute sich auf den Kinoabend mit Jenny.

7

Am folgenden Abend schlief der Alte schon, und es bot sich keine Gelegenheit für einen Schlummertrunk. Sonntagabend aber nahm er die Kopfhörer ab, die ihm Max aus dem eigenen Fundus zur Verfügung gestellt hatte, und sah seinen Sohn etwas kläglich an.

»*Sic transit gloria mundi*«, sagte er. »So vergeht die Herrlichkeit der Welt! Heute ist mir ein bisschen elend zumute.«

»Ein Gläschen Cognac, und die Welt sieht wieder besser aus«, meinte Harald und schwenkte das bereits gefüllte Glas.

»Stell es auf den Nachttisch«, sagte Willy Knobel. »Ich warte noch, bis die Nachrichten zu Ende sind.«

Und damit setzte er die Kopfhörer wieder auf und nahm keine Notiz mehr von seinem Besucher. Harald verließ den Raum, obwohl es ihm lieber gewesen wäre, wenn sein Vater den Schierlingsbecher in seiner Gegenwart geleert hätte.

Bevor er selbst ins Bett ging, öffnete Harald noch rasch die Tür des Krankenzimmers und spähte hinein. Es war stickig und dunkel im Raum, sein Vater atmete tief und schlief wohl fest, soweit man das ohne Beleuchtung feststellen konnte. Anscheinend lief alles nach Plan. *Tabula rasa*, dachte Harald, so viel Latein kann ich auch. Und wie war noch das Ende beim *König von Thule*? – *Trank nie einen Tropfen mehr.*

Am nächsten Morgen musste er früher als sonst aus dem Haus, weil er einen Termin in der nächsten Kreisstadt hatte. Zu seiner Verwunderung wirtschaftete Max bereits in der Küche herum: Auf Petras heiligem Silbertablett standen eine Tasse Kaffee, ein Marmeladenbrötchen, Milchkännchen, Zuckerdose, der Salzstreuer und ein gekochtes Ei.

»Für Opa«, sagte er. »In letzter Zeit nimmt er bestimmt zu, denn er verdrückt fast mehr als ich.«

Damit ist es jetzt vorbei, dachte Harald. Für dieses Frühstück wird ihn hoffentlich keiner mehr wachkriegen. Und sonst musste man die Dosis eben erhöhen. Wenn Max jetzt gleich auf eine Leiche stieß, sollte er das als künftiger Altenpfleger ja noch verkraften.

Harald steckte noch schnell einen Apfel in die Aktentasche und verließ das Haus.

Petra hatte es nicht so eilig, der Laden öffnete erst um neun. Kurz bevor sie startete, traf sie auf

Schwester Kriemhild, deren Ankunft nicht zu überhören war. Aber immer noch besser als Jennys lautloses Anschleichen.

»Mein Sohn soll heute die Fleece-Anzüge besorgen«, sagte sie. »Ich denke, im Sanitätshaus wird man solche Artikel erhalten.«

»Und in jedem guten Wäschegeschäft«, sagte die Schwester und stapfte die Treppe hinauf.

Willy Knobel hatte das Brötchen nur angebissen, das Ei mochte er schon gar nicht anrühren. Als es klopfte, knurrte er: »*Domina ante portas!*«

Die Pflegerin nahm das Tablett vom Nachttisch.

»Sie haben ja kaum etwas gegessen! Kein Appetit? Und was ist mit dem Glas?«, fragte sie.

Er schüttelte den Kopf.

»Tun Sie's weg«, sagte er. »Das ist von gestern. Mein Sohn hat es hier stehengelassen. Leider muss ich jetzt ganz dringend auf den Thron!«

Während er sich auf dem Toilettenstuhl abmühte, hängte die Schwester seine Bettdecke zum Lüften über das Balkongeländer, trug das Tablett aus dem Zimmer und stellte es im Flur auf die dunkle Eichentruhe. Schließlich lobte sie den Alten wie ein Kleinkind, zog ihm frische Windeln und einen Bademantel an und ermunterte ihn, am Rollator quer durch das Zimmer zu laufen.

»Wahrscheinlich habe ich gestern zu viel gegessen«, sagte der Alte, dem kalter Schweiß auf der Stirn stand. »Mir ist ein bisschen übel.«

Also lag er schnell wieder im Bett und starrte mutlos an die Decke. Schwester Kriemhild wünschte gute Besserung, tätschelte ihm den Bauch und verabschiedete sich. Im Flur stand das Tablett mit dem fast unangetasteten Frühstück. Schade um den Cognac, dachte sie und kippte ihn hinunter.

Am späten Vormittag fragte Max den Großvater nach seinen Wünschen. Inzwischen hatte er im Supermarkt ein breites Angebot an Fertiggerichten entdeckt.

Er wollte dem Opa gern eine Freude machen. Nur durch ihn hatte er schließlich Jenny kennengelernt. Sie hatte immerhin bei einer anrührenden Filmszene seine Hand ergriffen und die ganze Zeit nicht mehr losgelassen.

»Junge, heute lassen wir das Mittagessen lieber ausfallen«, sagte der Großvater. »Mir ist ein bisschen schlecht. Vielleicht schlafe ich einfach noch eine Runde.«

Max war es recht. Er würde jetzt die Fleece-Anzüge und die bewährten Puddingbecher besorgen, das Zeug rutschte anscheinend besser als alles andere hinunter. Als er später eine erneute Visite machte, war sein Großvater offensichtlich leicht verwirrt.

»Ilse war noch gar nicht hier«, sagte er, »sie sucht wohl wieder ihre Katze.«

Max sagte nichts dazu.

»Sie hat es ja schwer, meine Ilse«, sagte der Großvater. »Sie liebt ihren Tiger, und sie liebt Vögel. Kann das gutgehen?«

»Opa, es gibt unendlich viele Vögel. Wenn die Katze mal einen Spatz erwischt, geht die Welt nicht unter.«

Den Rest des Tages brachte Max mit Computerspielen rum. Er war allerdings nicht bei der Sache, sondern dachte nur an Jenny. Auch sein Vater machte sich neuerdings Gedanken, rief an und erkundigte sich beiläufig nach dem Alten.

»Er spinnt ein bisschen und fragt nach Oma«, sagte Max. »Und ausnahmsweise hat er keinen Appetit. Aber du brauchst dir keine Sorgen zu machen, völlig harmlos.«

Harald wollte es so einrichten, dass er gleichzeitig mit der blonden Pflegerin eintraf. Er freute sich darauf, von Jenny angestrahlt zu werden. Fast ein bisschen schade, wenn ihre Besuche demnächst wegfielen! Der Alte hatte anscheinend eine Bärennatur, wenn er nach einem derart gewürzten

Schlaftrunk bloß ein wenig halluzinierte und keinen Hunger hatte. Zwar war Harald etwas enttäuscht über das fehlende Resultat der Cognac-Methode, aber längst noch nicht entmutigt.

Natürlich konnte eine Pflegerin nicht immer pünktlich kommen. Mal musste ein Patient außer der Reihe gewaschen oder gebadet werden, mal gab es ein Gespräch mit den Angehörigen, oder ein Kranker brauchte Hilfe beim Essen. Andererseits fielen treue Stammkunden plötzlich weg, weil sie in der Klinik oder gar auf dem Friedhof gelandet waren. Harald musste sich damit abfinden, dass der Firmenwagen noch nicht dastand, als er zu Hause ankam. Auf keinen Fall wollte er vor der Tür herumlungern und auf Jenny warten. Was sollte Petra davon halten, mit der in letzter Zeit sowieso nicht gut Kirschen essen war.

Als die Haustür schließlich leise geöffnet wurde, stürzten Vater und Sohn aus verschiedenen Richtungen hervor, um die Ersehnte zu begrüßen.

Jenny weinte.

Harald legte tröstend den Arm um die junge Frau, Max stand ratlos daneben.

»Na, was ist denn los?«, fragte Harald. »Fix und fertig? Kann es sein, dass Sie dringend Urlaub brauchen?«

Jenny schniefte. »Die Kriemhild«, brachte sie heraus.

»Was ist los mit ihr?«

Nun erfuhren sie, dass die Kollegin einen Autounfall gehabt hatte und schwerverletzt im Krankenhaus lag.

»Heute Morgen ist es passiert«, schluchzte Jenny. »Auf dem Rückweg von euch ist sie mit einem LKW kollidiert. Es muss ganz schlimm gekracht haben!«

»Und wer kümmert sich nun um meinen Vater?«, fragte Harald.

Jenny putzte sich die Nase. »Das wird natürlich geregelt, wir sind schließlich eine verlässliche Truppe. Es gibt zum Beispiel auch noch Schwester Heidi.«

Leider konnte Max nicht allzu lange in Jennys Nähe bleiben, denn seine Mutter rief schon bald zum Abendessen. Nun erfuhr auch Petra die Hiobsbotschaft.

»Schade, dass es nicht die blonde Barbiepuppe erwischt hat«, sagte sie trocken. »Kriemhild war um Welten besser – erfahren und zupackend.«

»Das ist die Kleine aber auch«, widersprach Harald. Max wurde ganz blass, manchmal hätte er seine Mutter würgen können. Aber sie war nun mal spontan und direkt, bisweilen taten ihr ihre unbedachten Worte selbst leid, und sie entschuldigte sich. Und warum sprachen sein Vater und Großvater immer nur von »der Kleinen«, wo sie doch einen Namen hatte.

»Dem Opa geht's nicht gut«, sagte er nach einer Weile. »Er hat mittags und abends nichts gegessen, nicht einmal Pudding.«

Harald und Petra tauschten einen zufriedenen Blick.

»Bin gespannt, wer morgen als Vertretung kommt«, sagte Petra. »Irgendwie ist es mir unheimlich, wenn noch weitere Menschen den Schlüssel für unser Haus erhalten. Und deswegen hätte ich nichts mehr dagegen, wenn Vater in ein Hospiz verlegt wird.«

»Jetzt ist es leider zu spät! Wenn wir ihn wegbringen, wird er mich enterben«, sagte Harald. »Das hat er klar und deutlich formuliert. Die reinste Erpressung.«

Max feixte. »Ganz schön clever!«, meinte er. Und im Stillen dachte er: Wahrscheinlich würde dann Tante Karin den Löwenanteil erben, aber sicherlich blieb auch etwas für Mizzi und ihn selbst. Neulich hatte er sich den Schmuck seiner Großmutter angeschaut, der aus zwei Bernsteinketten und einigen hässlichen Broschen bestand. Sollte seine australische Tante damit glücklich werden, das Verscherbeln lohnte sich kaum.

Überhaupt gab es da ein Problem. Egal, ob das Haus des Alten nun verkauft oder vermietet würde, es müsste erst einmal ausgeräumt werden. Zuvor würden seine Eltern eine Razzia machen und sich alles unter den Nagel reißen, was sie brauchen konnten, vielleicht käme sogar Tante Karin angeflogen. Danach müsste ein Trödler zum Entrümpeln eingeschaltet werden. Es war sicher klug, wenn Max schon vorher seine Schäfchen ins Trockene brachte. Vielleicht ließe sich ja mit Falko ein entsprechender Deal machen?

»Träumst du, Max?«, fragte seine Mutter. »Wenn du nichts mehr essen möchtest, kannst du den Tisch abdecken.«

Er war froh, aufstehen zu können. Jenny war natürlich längst nicht mehr da, aber er besaß seit gestern ihre Handy-Nummer. Beim Einsortieren der Spülmaschine dachte er über seine Mutter nach, die anschließend bestimmt wieder die Teller von der rechten auf die linke Seite räumen würde, weil sie mit seiner Ordnung nie zufrieden war.

Während sein Vater als Absteiger seiner Familie galt, weil er sich nur für Unterirdisches interessierte, war seine Mutter eine Aufsteigerin, die als Erste ihres Clans Abitur gemacht hatte. Max war die

Ahnentafel zwar gleichgültig, aber es interessierte ihn immer mehr, warum seine Eltern so seltsame Wesen geworden waren.

Am nächsten Morgen tauchte relativ spät eine völlig neue Pflegerin auf, die sich mit unverkennbarem Akzent als Elena vorstellte. Eine kleine Person, dunkelhaarig und temperamentvoll. Max musste sie einführen. Schon in aller Frühe hatte sie im Krankenhaus die verletzte Kriemhild aufgesucht und sich den Knobelschen Hausschlüssel aushändigen lassen.

»Wie geht's Ihrer Kollegin?«, fragte Max höflich.

Elena hatte Tränen in den Augen: »Kopf kaputt!«, sagte sie.

Max erfuhr, dass sich auch der LKW-Fahrer bei diesem schweren Unfall einen Arm gebrochen hatte und die Polizei bei beiden Teilnehmern eine Blutprobe veranlasst hatte.

Der Alte musterte die neue Pflegerin mit kritischem Blick. Er war immer noch nicht ganz bei Trost, fand Max, denn er machte eine peinliche Bemerkung über ihren üppigen Busen.

Elena konterte die Anzüglichkeit mit Humor, ihr machte kein seniler Greis etwas vor. Max konnte es kaum fassen, als sie den Großvater ein wenig kitzelte, bis er wider Willen lachen musste und sich seine Nussknacker-Miene entspannte.

»Eigentlich könntest du dich mit ihr auf Lateinisch unterhalten«, sagte Max, als Elena gegangen war. »Sie ist Italienerin.«

»Latein mit einem Flittchen? Du machst Witze!«

»Also mal ehrlich – wie gefällt sie dir?«, fragte Max. »Ich finde sie recht lustig.«

»Ich nicht, aber *de gustibus non est disputandum* – jeder nach seinem Geschmack. Immer noch besser als die Walküre«, sagte er. »Doch die Kleine ist und bleibt mein Schätzchen; die ist echt scharf. Und nun gib mir die Kopfhörer!«

Max war noch im Raum, als sein Großvater bereits über einen Moderator losschimpfte.

»Wenn ich so etwas schon höre: *Noch und nöcher!* Die sollen erst einmal richtig Deutsch lernen!«

Auch Harald hatte sich – durch seine Beziehungen zu Polizei und Ordnungsamt – nach dem Unfallhergang erkundigt.

»Die Frau hatte die alleinige Schuld, vielleicht gab es da ein Alkoholproblem«, sagte man ihm unter vier Augen. »Wenn man schon am Vormittag einen gewissen Pegel aufweist ...«

Harald wurde nachdenklich. Trunksucht passte

nicht zu der zuverlässigen Pflegerin, als die Schwester Kriemhild galt. Siedend heiß fiel ihm der Cognac ein. Konnte die Pflegerin das Glas am Morgen ausgetrunken haben? Was für ein Glück, dass niemand davon wusste. Hoffentlich überlebte die arme Frau.

Mizzi hatte ein großes Herz, auch wenn sie es vor ihrer Familie meistens verbarg. Nach dem letzten Gespräch mit ihrem Bruder rief sie ihrerseits an und fragte nach seinem Befinden.

»Ich hatte neulich das Gefühl, dass dir alles über den Kopf wächst«, begann sie. »Nicht nur die Eltern sitzen dir im Nacken, sondern jetzt noch der Opa! Ich könnte dir in Berlin ein Zimmer besorgen…«

»Aber mir geht es doch bestens«, widersprach Max. »Mit Opa kam ich schon immer klar! Heute werde ich mit ihm Laufen üben.«

»Du machst Sachen!«, meinte Mizzi staunend. »So kennt man dich gar nicht.«

»Was macht die Uni?«, fragte Max.

»Scheiße«, sagte seine Schwester, »im Moment ist es wie in der Schule. Das reinste Bulimie-Lernen.«

»Wie bitte?«

»Vor der Prüfung schlingt man alles in sich hinein und würgt es beim Examen wieder heraus. –

Übrigens hat mich Papa neulich angerufen. Er glaubt immer noch, ich käme bald wieder reumütig nach Hause zurück. Wir haben schon merkwürdige Eltern!«

In diesem Punkt gab ihr Max natürlich recht. Dann redete er mit seiner Schwester noch ein wenig über gemeinsame Lieblingsbücher aus Kindertagen, über die Märchenstunden bei der Großmutter und über die seltsame Wandlung des Tyrannen zum gütigen Großvater.

»Übrigens haben wir uns eine Katze zugelegt«, erzählte Mizzi. »Sie sieht fast so aus wie Omas Tiger.«

»Als Ersatz für ein Kind?«, fragte Max.

»Überlass die Küchenpsychologie lieber mir«, meinte Mizzi.

»Durchschaut man die Menschen eigentlich besser, wenn man Psychologie studiert?«, fragte Max.

»Schön wär's«, sagte Mizzi. »Jedenfalls nicht wir Studenten – ich bin neulich einer Schleimerin voll auf den Leim gegangen.«

Max hätte gern mit Mizzi über Falko gesprochen, aber er brachte es nicht fertig. Neulich hatte ihn dieser Typ – obwohl er pünktlich die Zahlung erhalten hatte – mit »Du Opfer« angeredet. In Falkos Sprache bedeutete das die Aussicht auf Prügel.

Wenn Max bei strömendem Regen im Auto saß, dachte er oft an frühere Zeiten. Wenn er bei solchem Wetter mit dem Fahrrad unterwegs war, hatte er sich immer vorgestellt, dass es nur seine äußere Hülle war, die nass und klamm wurde, während sein Innerstes warm und trocken blieb. Herz und Magen, Nieren, Leber und Lunge hockten gemütlich zusammen und tranken Tee.

Aber so ein Wagen war schon ein angenehmer Luxus. Es war der ehemalige PKW seiner Mutter, den er zum bestandenen Abitur geschenkt bekommen hatte. Wahrscheinlich war sie so erleichtert, als er die Schule geschafft hatte, dass sie alles dafür hergegeben hätte. Mit dem Fahrrad hätte er das Heim für schwererziehbare Jugendliche auch kaum erreichen können; andererseits wäre es bestimmt besser gewesen, wenn er seinen Zivildienst woanders absolviert hätte, denn dann wäre er Falko niemals begegnet.

Ohne seinen Großvater wäre er nie an genug Geld gekommen, um diesem gemeinen Erpresser das Maul zu stopfen. Der Opa konnte die Kohle sowieso nicht mit ins Grab nehmen, also war es im Grunde kein Verbrechen, wenn Max die Erbschaft schon im Voraus ausgab.

8

Es gab täglich neue Anzeichen für den nahenden Frühling. Ilse Knobel hatte vor vielen Jahren wildwachsende Schlüsselblumen ausgegraben und in eigenen Beeten, aber auch im Garten ihres Sohnes wieder eingepflanzt. Harald musste immer an seine Mutter denken, wenn die gelben Blümchen aus der Erde sprossen und auf wärmere Tage hoffen ließen. Er kultivierte heimlich ein vages Gefühl, dass seine Mutter ihn sehen und ihm bei schweren Entscheidungen zur Seite stehen könnte. Ob sie es insgeheim gutheißen würde, wenn er den Alten aus dem Weg räumte? Immerhin hatte sie selbst mehr als fünfzig Jahre unter ihm gelitten. Die aufblühenden Himmelsschlüssel im Garten erschienen Harald wie ein Zeichen von oben.

Der nächste Versuch musste auf jeden Fall gelingen. Er durfte nicht zu lange damit warten, weil der Alte täglich kräftiger wurde und ein plötzliches Ableben schon bald verdächtig erscheinen konnte. Das Vermieten seines Elternhauses war mit lästigem Organisieren verbunden; er konnte sich das alles ersparen, wenn er das Haus erbte und einem Makler zum Verkauf übergab. Diesmal müsste Willy Knobel allerdings den Schierlingsbecher im Beisein seines Sohnes bis zur Neige leeren.

Harald füllte einen Schwenker halb mit Cognac, halb mit flüssigem Schlafmittel. Probeweise steckte er einen Finger hinein und leckte ihn ab. Die Beimischung war glücklicherweise fast gar nicht zu schmecken. Sein eigenes Glas goss er so voll es eben ging, denn er war ziemlich aufgeregt und brauchte eine beruhigende Droge.

Der Alte lag wie immer mit Kopfhörern im Bett. Als sein Sohn auftauchte, nahm er sie ab und deutete erregt auf einen Nachrichtensprecher.

»Der hat schon wieder *gewunken* gesagt«, beschwerte er sich. »Winken, winkte, gewinkt muss es heißen, das ist doch allemal ein schwaches Verb!«

»Wahrscheinlich hast du recht«, sagte Harald.

»Wahrscheinlich? Hundertprozentig! *O tempora, o mores,* in was für einer Zeit muss ich leben!«

Das hat ja bald ein Ende, dachte Harald, zog sich Mizzis Schreibtischstuhl heran und setzte sich mit den Cognacschwenkern direkt neben das Bett.

»Diesmal lass ich den Schnaps nicht stehen«, sagte der Alte. – »Wenn ich den Fernseher anmache, kann ich mich eigentlich nur noch ärgern!«

»Dann trink gleich mal einen Schluck«, sagte

Harald freundlich, »danach regst du dich nicht mehr so auf und schläfst auch besser!«

Willy Knobel behielt das Glas in der Hand und schimpfte weiter.

»Ich schlafe tatsächlich nicht gut bei euch, weil mir die Straßenlaterne mitten ins Gesicht leuchtet. Hat Mizzi sich nie daran gestört?«

»Soweit ich mich erinnere, hat Mizzi abends die Fensterläden zugeklappt«, sagte Harald. »Das könntest du auch so halten.«

»Ich bitte darum!«

Also stellte Harald sein Glas auf dem Nachttisch ab und ging auf den Balkon. Die schweren türhohen Läden waren lange nicht mehr benutzt worden, hatten sich verzogen und klemmten.

Unterdessen entdeckte der Alte, dass sich sein Sohn wesentlich mehr Cognac eingeschenkt hatte als ihm. Halbvergessener Groll stieg wieder hoch. Kurz entschlossen vertauschte er die beiden Gläser, und damit es nicht auffiel, trank er das andere in einem Zug leer.

Als Harald die Läden mühsam zugezogen hatte und wieder ins Zimmer trat, sah er mit einem Blick, dass sein Vater den Cognac bereits hinuntergekippt hatte. Bravo, dachte er, und tat es ihm erleichtert nach.

Petra war etwas verwundert, als ihr Mann gar nicht mehr im Wohnzimmer auftauchte, obwohl er sich einen spannenden Krimi selten entgehen ließ. Als sie anderthalb Stunden später ins Schlafzimmer trottete, lag er bereits im Bett und schlief. Sonst hatte er seine Kleider immer sehr korrekt auf einen Stuhl gelegt und das Sakko auf einen Bügel gehängt – diesmal lag alles verstreut auf dem Boden herum, so wie es die Kinder in ihrer Teenagerzeit zu tun pflegten. Seufzend sammelte sie Stück für Stück wieder auf. Ihr Mann schien in letzter Zeit stark zu altern, das geschah ja meistens in Schüben.

Am nächsten Morgen lag er immer noch in der gleichen Position neben ihr, obwohl er im Allgemeinen als Erster das Bad benutzte. Petra schubste ihn ein wenig.

»Aufstehen, Harald, du bist spät dran!«

Er rührte sich nicht. Petra fühlte seine Stirn, Fieber schien er zwar nicht zu haben, aber irgendetwas stimmte nicht. Dann entdeckte sie das Fläschchen mit dem Schlafmittel. Wahrscheinlich hatte Harald die gewohnte Dosis erhöht, dachte sie ärgerlich, was machen wir jetzt? Sie beschloss, erst einmal selbst ins Bad zu gehen und sich für die Arbeit fertigzumachen.

Als sie nach einer halben Stunde erneut ans Ehebett trat, hatte sich die Situation nicht im Geringsten geändert. Petra hatte wenig Lust, ihren Mann mit drastischen Mitteln zum Aufstehen zu bewegen. Wenn er sich benahm wie ein pflichtvergessener Halbstarker, dann sollte er eben weiterschlafen und sehen, welche Entschuldigung ihm einfiele. Petra hatte vor allem Kaffeedurst und ging in die Küche, wo Max gerade das Frühstück für seinen Opa zubereitete.

»Dein Vater gefällt mir nicht«, sagte Petra.

»Warum hast du ihn dann geheiratet?«, fragte Max.

»Vielleicht ist er krank, aber wahrscheinlich hat er zu viel Schlafmittel genommen, ich kann ihn überhaupt nicht wachkriegen. Allerdings muss ich jetzt weg und kann mich nicht um alles kümmern. Wärst du so nett und schaust später noch mal nach …«

Max versprach es, widmete sich aber erst einmal dem Großvater. Er sollte nämlich mit dem Frühstück fertig sein, wenn die Pflegerin kam und die Zähne geputzt wurden.

Elena kam früh. Meistens machte sie ein paar burschikose Scherze, um der Situation das Peinliche oder gar Demütigende zu nehmen.

»Pipi oder Kacki?«, fragte sie auch heute. Es klappte leider noch nicht so, wie es sich der Patient erhoffte. Während Willy Knobel auf dem Klostuhl saß – wobei er keine Gesellschaft duldete –, ließ die Pflegerin Wasser in die Badewanne laufen, und Max begab sich ins elterliche Schlafzimmer.

»Papa«, sagte er und rüttelte seinen Vater an der Schulter, »bist du krank oder was?«

Keine Reaktion. Der Atem war kaum wahrnehmbar. Max fühlte den Puls, den er nur ganz schwach tasten konnte.

Allmählich wurde ihm die Sache unheimlich, und er rannte ins Badezimmer.

»Elena, kommen Sie bitte mal mit«, sagte er aufgeregt. »Mein Vater ist völlig weggetreten.«

Die Pflegerin folgte, machte sich ein Bild der Lage, griff zum Handy und rief den Notarzt an.

»Papa muss in Krankenhaus. Vielleicht soll man Magen auspumpe und so«, sagte sie. »Kann ich nicht mache, bin kein Dottore.«

Sie lagerte ihn auf die Seite und packte ihm zusätzlich Petras Bettdecke bis übers Ohr.

»Immer schön warm halte! Pass gut auf und bleib hier«, sagte sie zu Max. »Ich geh' jetzt zu Opa und mache fertig. Ambulanza kommt gleich.«

An der Seite des bewusstlosen Vaters kamen Max recht trübe Gedanken – wie, wenn nun sein Papa vor dem Opa stürbe? In diesem Moment hörte er Elena im Badezimmer kreischen – weil das

Wasser übergelaufen war – und von der Straße die Sirene des Krankenwagens.

Als Max seine Mutter telefonisch erreicht hatte, geriet sie völlig aus der Fassung, überließ ihren Laden den Angestellten und brauste zum Krankenhaus. Dort wurde sie von einem Arzt abgefangen und nach den Medikamenten befragt, die ihr Mann regelmäßig einzunehmen pflege. Ob er depressiv sei? Es sehe alles nach einem Suizidversuch aus, der Patient sei jedoch nicht in Lebensgefahr. Nein, sie könne ihn jetzt nicht sehen und solle am Nachmittag wiederkommen.

Ein gescheiterter Selbstmord? Petra war mit den Nerven am Ende. Es stimmte, sie hatte sich in letzter Zeit reichlich wenig um ihren Mann gekümmert, weil sie ganz andere Dinge im Kopf hatte. Er wiederum hatte Ärger im Beruf, Sorgen wegen der Kinder und jetzt auch noch die Verantwortung für den Alten. Wahrscheinlich war er mit der Fülle der Probleme nicht fertig geworden.

Andererseits würde ein erwachsener Mann, der sich das Leben nehmen wollte, doch nicht das Ehebett für diesen Zweck verwenden. Er würde bestimmt ein Versteck suchen, wo er am nächsten Morgen nicht von seiner Frau geweckt wurde.

Nein, es war ein Denkzettel, den er ihr verpassen wollte, und Petra wusste leider auch, warum. Zwischen zwölf und halb zwei blieb ihr Laden geschlossen, die Mitarbeiterinnen gingen essen, und Petra konnte sich in ihrem kleinen Büro auf dem Sofa ausstrecken. Seit ein paar Monaten empfing sie dort regelmäßig einen Lover.

Die Sache hatte sich über längere Zeit entwickelt. Ein ehemaliger Deutschlehrer von Mizzi, mit dem sie sich seit langem gut verstand, war Stammkunde und bestellte bei ihr immer die Schullektüre für seine Klassen. Nach seiner Scheidung begann er sich intensiver für Petra zu interessieren, hofierte sie ein wenig und betrat ihr Geschäft häufiger als zuvor. Irgendwann kam er direkt vor ihrer Pause, und sie bemerkten bei ihrem intensiven Gespräch beide nicht, wie lange sie sich ungestört und angeregt unterhalten hatten. Nach und nach wurden die mittäglichen Besuche zur festen Gewohnheit, und das schmale Sofa musste oft für zwei Personen herhalten.

Hatte ihr Mann davon Wind bekommen? Eine Mitarbeiterin hatte durch einen Zufall mitgekriegt, dass ihre Chefin in der Mittagszeit selten allein blieb. Es konnte immerhin sein, dass sie Harald gegenüber eine Andeutung gemacht hatte. Petra war verzweifelt. Sie hatte dieser Affäre keinen allzu hohen Stellenwert beigemessen und nie vorgehabt, ihren Mann zu verlassen. Wenn sich Harald aber aus Verzweiflung wegen ihr etwas angetan hätte? Doch immerhin bestand auch die Möglichkeit, dass er sich einfach in der Dosierung vertan hatte.

Am nächsten Tag war ihr Mann wieder ansprechbar, jedoch verlangsamt und dösig. Petra sprach erneut mit den Ärzten und deutete an, dass Harald wohl versehentlich zu viel Schlafmittel eingenommen hatte.

»Ein weitgehend robuster Mann wie der Ihre wäre daran kaum gestorben«, sagte der Arzt. »Anders sähe es bei einem alten und chronisch kranken Menschen aus. Trotzdem sollten wir diese Sache nicht auf die leichte Schulter nehmen – wenn er wieder klar im Kopf ist, werden wir einen Psychiater einschalten.«

Endlich war ein Brief der Krankenkasse eingetroffen. Dem Alten wurde nur die zweithöchste Pflegestufe zugebilligt, so dass ein Teil der Kosten an der Familie hängenblieb. Petra rechnete aus, dass man ungefähr 400 Euro im Monat für den Pflegedienst bezahlen musste. Bis jetzt hatte Willy Knobel noch keinen Cent für Kost und Unterkunft herausgerückt, auch sein Haus war nicht vermietet worden. Es war Petra peinlich, ihren

Schwiegervater darauf anzusprechen, und ihren Mann mochte sie mit schlechten Nachrichten momentan lieber nicht belasten. Wie sollte das alles nur weitergehen?

Doch was hatten die Ärzte gesagt? Einen gesunden Mann hätte das Schlafmittel wohl nicht umgebracht, aber einen alten, kranken vielleicht schon! Petra kaute an einer neuen Idee herum. Wenn ihr Schwiegervater einen ähnlich hochkonzentrierten Schlummertrunk bekäme, wären wohl viele Probleme auf der Stelle gelöst. Doch zum einen war Haralds Vorrat fast zu Ende, und es war die Frage, ob ihm Dr. Ofenbach jetzt neue Tropfen aufschreiben würde. Außerdem würde es auffallen, wenn ein weiteres Mitglied der Familie mit Blaulicht ins Krankenhaus gebracht würde. Sie verwarf diesen Gedanken und grübelte weiter.

Jenny legte ihre Jacke meistens im Flur auf der Truhe ab. Vor kurzem hatte Max ihre Brieftasche herausgenommen und einen heimlichen Blick auf den Personalausweis geworfen: Sie war sieben Jahre älter als er. Inzwischen wusste er, dass sie allein lebte und keine guten Erfahrungen mit ihren bisherigen Freunden gemacht hatte. Die stets heitere Miene war wohl bisweilen aufgesetzt. An diesem Abend war allerdings von Fröhlichkeit sowieso keine Rede. Jennys Handy klingelte, als sie gerade die Haustür aufgeschlossen hatte.

»Kriemhild ist tot«, sagte sie und fiel Max tränenüberströmt in die Arme. Er merkte, Jenny brauchte Trost und liebevolle Worte, auf keinen Fall durfte er die Situation jetzt ausnutzen.

Max tätschelte ihr den Rücken und sprach leise auf sie ein. »Schwester Kriemhild war schließlich nicht mehr die Jüngste«, sagte er, aber das war offensichtlich der falsche Ansatz.

»Mitte fünfzig!«, schluchzte Jenny. »Das ist doch kein Alter zum Sterben! Sie war bei allen Patienten beliebt, sie hatte ein kleines Enkelkind, das sie jeden Tag vom Kindergarten abholte. Vor ein paar Jahren ist Kriemhilds Mann gestorben, jetzt hatte sie gerade einen neuen kennengelernt…«

Es war klar, Jenny war eine Romantikerin und hatte nahe am Wasser gebaut. Max lief neben ihr die Treppe hinauf und erzählte, dass sein Vater im Krankenhaus lag. Das hatte sie bereits von ihrer Kollegin erfahren. Sie ließ sich zum Glück durch fremdes Leid vom eigenen ablenken und freute sich riesig, als Max ihr das Buch zu dem Film schenkte, den sie miteinander gesehen hatten.

»Zur Erinnerung an unseren gemeinsamen Kinoabend«, hatte er auf die erste Seite des Romans geschrieben und damit voll ins Schwarze getroffen.

Der Psychiater war etwas ratlos, als Harald heftig abstritt, suizidale Absichten gehabt zu haben.

»Vielleicht unbewusst?«, fragte er.

Harald musste trotz seines unfrohen Zustandes etwas lächeln.

»Man sollte nicht immer nach abartigen Gründen suchen, wenn es sich um ein Missgeschick handelt«, sagte er. »Ich nehme gelegentlich ein paar sedierende Tropfen, weil ich seit einiger Zeit unter Schlafstörungen leide. Bisher habe ich mich immer an die niedrigste Dosis gehalten, denn ich muss schließlich am nächsten Tag fit sein. Doch diesmal habe ich den Löffel nicht finden können und kurzerhand einen Schluck aus der Flasche genommen …«

Der Psychiater ließ nicht locker. Schließlich erzählte Harald von seinen Problemen – die Frau habe nur ihr Geschäft im Kopf, koche immer liebloser und höre ihm gar nicht mehr zu. Im Beruf werde er angefeindet, die Kinder seien missraten, der alte Vater eine Last.

»Haben Sie schon einmal an die Möglichkeit einer Psychotherapie gedacht?«, fragte der Arzt. »Oder zumindest an Entspannungsübungen zum Stressabbau?«

»Ist doch alles Humbug«, sagte Harald abwehrend. »Und wenn mich mein übereifriger Sohn nicht gleich ins Krankenhaus geschickt hätte, wäre ich über kurz oder lang von alleine wieder aufgewacht!«

»Das weiß man nicht«, sagte der Arzt. »Ihr Sohn hat das einzig Richtige getan. Sie sollten ihm dankbar sein und ihn nicht als missraten bezeichnen.«

Als Harald wieder allein war, dachte er – wie schon oft – über seinen Sohn nach. Max brauchte relativ viel Geld, niemand wusste so recht, wofür er es ausgab. Drogen? War der Junge vielleicht deswegen so unmotiviert, weil er in einer anderen Welt lebte? Andererseits versorgte er den Alten gut, leider allzu gut … Am nächsten Tag sollte Harald entlassen werden. Er beschloss, sich bei Max zu bedanken und ihn ausnahmsweise einmal zu loben.

Je deutlicher Haralds Erinnerung einsetzte, desto klarer wurde ihm, dass ihn der Alte ausgetrickst hatte. Ob er wohl die böse Absicht geahnt hatte, als er die Gläser vertauschte? Und ob er am Ende auch argwöhnte, dass es einen Zusammenhang zwischen Schwester Kriemhilds Unfall und dem kürzlich verschmähten Cognac gab? Harald musste sich etwas Neues ausdenken.

9

Als Jenny und Max das Zimmer betraten, war das Bett des Alten leer, er selbst wie vom Erdboden verschluckt.

»Um Gottes willen!«, rief Max. »Er ist wieder verwirrt. Weiß der Teufel, wo er steckt!«

Schließlich entdeckten sie ihn im Schlafzimmer, wo er vor dem Elternbett auf dem Boden lag, neben ihm der umgekippte Rollator.

»Herr Knobel, sind Sie verletzt?«, fragte Jenny und griff mit beiden Armen unter seine Achseln. Gemeinsam mit Max hatte sie ihn schnell hochgezogen und erst einmal auf die Bettkante gesetzt.

Der Alte knurrte nur und schien sich etwas zu schämen.

»Das dürfen Sie nie wieder machen«, sagte Jenny eindringlich. »Es muss immer jemand von uns dabei sein, wenn Sie laufen wollen!«

»Aber Ilse hat mich doch gerufen! Außerdem kann ich nicht bloß im Bett oder auf dem Klo sitzen«, polterte der Alte. »Ich möchte den rosa Sessel wiederhaben! Max, du musst ihn holen! Und hat die Kleine etwa wegen mir geheult?«

»Nein, Opa, nicht wegen dir. Schwester Kriemhild ist tot.«

Jenny warf Max einen vorwurfsvollen Blick zu.

»Der liebe Gott hat sie zu sich genommen«, verbesserte sie ihn. Im Laufe ihres Berufslebens hatte sie gelernt, mit ihren alten Schützlingen nur behutsam und respektvoll über das Sterben zu reden, falls überhaupt.

»Eine Walküre ist in Walhall am besten aufgehoben«, sagte der Alte. »Bringt mich wieder in mein Bett!«

Anscheinend hatte er sich nichts gebrochen, sondern war mehr oder weniger auf dem Teppichboden zusammengesackt. Was er aber im Schlafzimmer seines Sohnes gesucht hatte, wollte oder konnte er nicht sagen.

Später meinte Jenny: »Er hat natürlich recht, er braucht einen gemütlichen Sessel, auf keinen Fall zu niedrig, damit er auch wieder hochkommt. Er sollte vormittags und nachmittags eine Runde mit uns durch den Flur wandern und danach eine Weile außerhalb des Bettes sitzen.«

»Ich schaffe den Ohrensessel her«, versprach Max. »Weiß allerdings nicht, ob der ins Auto passt.«

»Ist dein Opa eigentlich reich?«, fragte Jenny.

»Kein Millionär, wenn du so was meinst. Aber

er hat ein eigenes Häuschen, eine gute Rente und sicher einiges auf der hohen Kante, denn er hat sparsam gelebt. – Gehen wir mal wieder ins Kino?«

Jenny wollte vorher eine Pizza essen, sie hatte meistens Hunger, wenn ihr anstrengender Dienst zu Ende war. Max war es recht. Seit sein Vater im Krankenhaus lag, hatte seine Mutter nicht mehr gekocht, sondern war abends einfach abgetaucht. Wie beim ersten Mal sollte er Jenny abholen.

Petra kam reichlich spät von ihrem Freund zurück. Natürlich musste sie diesen Abend ausnützen. Am nächsten Tag würde Harald schon entlassen. Max war anscheinend zu Hause, denn sein Wagen stand vor der Tür. Wahrscheinlich schlief er längst.

Als sie hungrig den Kühlschrank öffnete, fehlte dort die Flasche Sekt, die sie für ihren Liebhaber vorgesehen und mitzunehmen vergessen hatte. Ob Max sie geklaut hatte, ob er vielleicht sogar Besuch hatte? Auf Zehenspitzen ging sie die Treppe ins Souterrain hinunter und spähte durchs Schlüsselloch. Man konnte nur erkennen, dass Licht brannte. Drinnen wurde leise gesprochen, oder war es bloß der Fernseher? Petra lauschte angestrengt. Eine Frauenstimme sagte: »Max, du bist einfach süß!«

Na, das wurde auch Zeit! Ihr Sohn wurde endlich erwachsen! Beschwingt schlich Petra wieder nach oben und freute sich. Irgendwie kam ihr diese helle Stimme bekannt vor, und sie fragte sich, wer dieses Mädchen sein könnte. Ein leiser Duft nach Lavendel und Kernseife hing in der Luft. Eines musste man den Pflegerinnen ja lassen, dieser Verwesungsgeruch, der im früheren Heim des Alten vorherrschte, war besiegt. Der Kranke wurde gewaschen, gebadet, gewindelt, gekämmt, bekam die Nägel geschnitten und wurde dauernd frisch angezogen. Vielleicht etwas zu häufig, fand Petra, denn die Waschmaschine lief jeden zweiten Tag.

Harald wurde für den Rest der Woche krankgeschrieben und sollte sich noch ein wenig zu Hause erholen. Als er von einem Rotkreuzwagen abgesetzt wurde, war er über alle Maßen erleichtert. Das war noch mal gutgegangen, alle hatten ihm die Geschichte mit der versehentlich überhöhten Dosis abgenommen. Ein wenig angeschlagen war er immer noch, lehnte aber trotzdem die Hilfe des Fahrers ab und stieg allein die Treppe hinauf ins Schlafzimmer. Petra hatte offensichtlich die Betten frisch bezogen, das Fenster stand auf, die Frühlingssonne schien hinein. Alle Medikamente waren aus seiner Nachttischschublade entfernt worden. Aus dem Krankenzimmer nebenan tönte schallendes Gelächter. Der Alte und eine Frau schienen sich prächtig zu amüsieren. Mühsam raffte er sich auf und ging ins Nachbarzimmer hinüber. Das Lachen verstummte.

»Hallo«, sagten Willy und die Unbekannte.

»Wie heißen Sie?«, fragte Harald.

»Ich bin Elena. Ersatz für tote Kollegin.«

Bei diesem Wort ahnte Harald nichts Gutes, und schon trompetete sein Vater: »Halali! Die Grimmhild weilt in den ewigen Jagdgründen! Aber gut. *De mortuis nil nisi bene* – über die Toten soll man nichts Schlechtes sagen!«

»Was ist mit dir, Papa?«, fragte Max, der soeben dazugekommen war, aber still und nachdenklich wirkte. »Du siehst kreidebleich aus. Kann ich etwas für dich tun?«

Harald schüttelte den Kopf und behauptete, er müsse sich erst einmal hinlegen. Als er allein war, kamen ihm die Tränen. Er war zum Mörder an einer Krankenschwester geworden, die jünger war als er selbst. Und daran war einzig und allein sein Vater schuld, der ihm mal wieder sein Leben vermasselte.

Auch Max war eher zum Heulen zumute. So wunderbar sich der gestrige Abend auch angelassen hatte, der Schreck am Ende war längst nicht verdaut. Erst Pizza und großes Kino, schließlich Sekt im Bett und ein zärtliches Schäferstündchen – von so viel Glück hätte er vor einigen Wochen gar nicht zu träumen gewagt. Alles war so zauberhaft wie ein blühender Apfelbaum, Jenny duftete frisch wie ein Frühlingstag. Die reine Wonne bis zu jenem Moment, als Max ein ebenso großes wie dilettantisches Tattoo auf ihrem Rücken entdeckte. Er fand es schrecklich, ließ es sich aber nicht anmerken.

»Ein Raubvogel! Ein Adler?«, riet er. »Ein paar starke Schwingen? Bist du eine Schwärmerin und möchtest abheben?«

»Kein Adler«, sagte sie, »ein Falke. Wieder so eine Jugendsünde, die ich mir unbedingt weglasern lassen will.«

»Warum willst du ihn loswerden?«

»Weil er mich an meinen Exfreund Falko erinnert, mit dem ich nie wieder etwas zu tun haben möchte. Zum Glück sehe ich das blöde Federvieh nur im Spiegel.«

Max schlug das Herz bis zum Hals. »Warst du lange mit ihm zusammen?«

Jenny wurde plötzlich ganz steif, rückte von ihm ab und angelte sich ihre Zigarettenpackung.

»Bist du etwa eifersüchtig? Nun hör mir mal gut zu, du bist nicht der Erste, mit dem ich im Bett liege, und bist selbst wahrscheinlich auch kein unbeschriebenes Blatt. Also fang gar nicht erst an, mich auszuquetschen.«

Nach Jennys heftiger Äußerung blieb Max stumm. Von dieser Seite kannte er sie noch nicht; offensichtlich war sie verletzt. Er hätte sie tatsächlich gern nach Strich und Faden ausgehorcht, was es mit ihrer Beziehung zu seinem Erzfeind auf sich hatte. Doch dann müsste er selbst auspacken, wofür es jetzt zu Beginn ihrer Freundschaft noch zu früh war. Später brachte er Jenny nach Hause, und sie verabschiedete sich mit einem innigen Kuss – wieder ganz das sanfte, fröhliche Mädchen, in das er sich verliebt hatte.

Im Übrigen war er jetzt ganz froh, in den Katakomben zu wohnen, denn Jenny hatte darum gebeten, seinen Eltern und möglichst auch sonst keinem etwas zu verraten.

Leider konnte sich Max in dieser Nacht keinen seligen Erinnerungen und Phantasien hingeben, sondern musste immer wieder an Jennys Beziehung zu Falko denken. Immerhin war es nicht erwiesen, dass es sich um denselben Schuft handelte. Max rechnete: Falko war der Vater eines Jungen, den er als Zivi im Heim betreut hatte. Kevin war damals fünfzehn, Falko musste also mindestens fünfunddreißig sein. Vom Alter her konnte es hinhauen, dass Jenny und Falko ein Paar gewesen waren. Allein diese Vorstellung war Max so widerlich, dass er sich am frühen Morgen übergeben musste. Aber es half ja nichts, er musste aufstehen und das Frühstück machen.

Etwas verspätet brachte er seinem Opa das Tablett ins Zimmer. Der Alte hatte bereits die Kopfhörer auf und den Fernseher an. Statt den Morgengruß seines Enkels zu erwidern, fing er sofort an zu granteln: »Nun hör dir das wieder an! Politiker sollten doch über ein Minimum an Bildung verfügen, gerade sprechen drei dieser Deppen über *Bonis*!«

»Und wie muss es richtig heißen?«

»Junge, du bist lustig! Der Plural von Bonus heißt Boni, da kann man nicht einfach ein S anhängen. Man sagt doch auch nicht Spaghettis …«

»Doch«, sagte Max, und sein Großvater hielt es für einen Witz und lachte.

»Gleich kommt meine Freundin Elena«, sagte er. »Eine Italienerin würde solche groben Fehler sicherlich nicht machen. Aber sie soll mich nicht wieder kitzeln, das ist ja die reinste Folter!«

Max hatte längst erkannt, dass Elenas Aufheiterungen seinem Opa in Wirklichkeit keineswegs unangenehm waren.

Petra hatte ein permanent schlechtes Gewissen, denn sie wusste immer noch nicht, ob Harald von ihrer Affäre etwas ahnte. Sollte sie Schluss machen mit dem Versteckspiel? Ihrem Lover den Laufpass geben? Ihrem Mann den Fehltritt beichten? Sie beschloss, vorläufig alles beim Alten zu belassen und erst einmal keine folgenschweren Schritte zu unternehmen, die nicht wieder rückgängig zu machen wären. Vielleicht sollte sie auch ihre Haare nicht mehr flammend rot färben, denn Harald gefiel es absolut nicht.

Jedenfalls verließ sie früher als sonst ihren Laden, kaufte unterwegs fürs Abendessen ein und betrat ihr Haus mit gemischten Gefühlen. Muffelige Gesichter bei Mann und Sohn, dabei müsste doch gerade Max Grund zu guter Laune haben. Oder war sein nächtliches Abenteuer nicht ganz nach Wunsch verlaufen? Leider konnte sie ihn nicht fragen. Petra schaute auch beim Schwiegervater hinein, der gut aufgelegt über das schlechte Fernsehprogramm schimpfte.

»Da sagen die schon wieder *zumindestens*«, sagte er. »Dabei gibt es nur *mindestens* oder *zumindest*. Unsere Sprache verroht!«

»Und wie geht's dir abgesehen von diesem Ärger?«, fragte Petra.

»Ohne deinen Max läge ich schon längst unterm

Rasen, und ich glaube fast, ich lerne wieder laufen und kann irgendwann die Treppe hinunterkommen und gemeinsam mit euch essen.«

Alles, nur das nicht!, dachte Petra. Es reichte ihr schon, jeden Abend für Mann und Sohn zu kochen, denen selten genug ein lobendes Wort über die Lippen kam. Dieser Nörgler würde die Stimmung vollends verderben. Außerdem klappte es ja ganz gut, wenn Max dem Alten mittags ein Fertiggericht und abends eine Schnitte hinaufbrachte.

Diesmal hatte sie sich Mühe beim Kochen gegeben. Es gab Szegediner Gulasch, das ihr Mann besonders liebte. Aber anstatt dankbar zu sein, verlangte er nach mehr Paprika, während Max die Kartoffeln verschmähte und sich ein Stück Brot aus der Küche holte.

»Hoffentlich bleibt genug für Opa übrig«, sagte er. »Das Gulasch könnte ich morgen gut aufwärmen. Dazu mache ich dann Kartoffelbrei.«

Vater und Mutter sahen ihn sprachlos an. Schließlich sagte Petra: »Und warum kochst du nicht mal für deine Eltern?«

Dazu fiel Max keine Antwort ein.

Am nächsten Tag lag eine Einkaufsliste in der Küche. *Wenn Du sowieso täglich in den Supermarkt fährst*, schrieb Petra, *dann kannst Du Deiner Mutter diese Arbeit durchaus mal abnehmen*! Daneben hatte sie 50 Euro gelegt, die wahrscheinlich gerade so ausreichten. Ganz unten stand: *Selterswasser ist auch nicht mehr da.*

Harald war es nicht gewohnt, morgens auszuschlafen. Aber er fühlte sich immer noch grenzenlos schlapp und blieb so lange im Bett, bis das grauenhafte Gelächter nebenan verstummt war, die unsäglich laute Pflegerin das Haus verlassen hatte und auch Max zum Einkaufen unterwegs war.

Sein kluger Plan war zweimal schiefgegangen. Vielleicht sollte man den Alten, der ja gelegentlich desorientiert war, einfach entmündigen und dann in ein Heim einweisen lassen. Wenn er vorher sein Testament tatsächlich noch änderte, konnte es als Produkt eines Unzurechnungsfähigen gerichtlich angefochten werden. Also beschloss Harald, seinen Vater wieder einmal unter die Lupe zu nehmen.

»*Salve*«, sagte der Alte. »Hoher Besuch am Vormittag? Was treibt dich zu mir, und wo bleibt der Cognac?«

»Wollte nur mal sehen, wie's dir geht«, sagte Harald. »Alkohol trinkt man erst nach Sonnenuntergang!« – aber du kriegst überhaupt keinen mehr, fügte er in Gedanken an.

»Schade, denn es gibt etwas zu feiern: Ich habe Großes im Sinn«, sagte der Alte, »sozusagen das Nonplusultra! Ich werde heiraten!«

Er ist tatsächlich nicht mehr bei Trost, dachte Harald und lächelte milde, erfreut über den Beweis.

»Gegen wen?«, fragte er.

»Nun, wer ist die Schönste im ganzen Land?«

»Schneewittchen«, antwortete Harald belustigt.

»Nein, Helena, Tochter des Zeus.«

Harald seufzte erleichtert. Sein Vater hatte endgültig den Verstand verloren, und Plan B kam zügig ins Rollen.

Tatsächlich war der Alte kaum noch zu bremsen: »Die Zeiten des Trübsinns sind vorbei – *Tempi passati!* Jeden Morgen erscheint die schöne Helena und bringt mich zum Lachen, außer Max hat das seit Jahren kein Mensch mehr geschafft. Das muss belohnt werden! Sieh mal, wenn ich irgendwann unterm Rasen liege, bekäme sie noch jahrelang meine Rente.«

»Du meinst doch nicht etwa diese schnauzbärtige Pflegerin? Ich dachte immer, du magst keine Ausländer!«

»Die klassische Antike, besonders Italien, war schon von früher Jugend an das Land meiner Sehnsucht. Die schöne Helena ist für mich die Botin einer heiteren Götterfamilie.«

123

Anscheinend war es durchaus kein reines Hirngespinst, sondern eine ganz konkrete Vorstellung, die seinem verkalkten Vater vorschwebte.

»Aber Vater, unsere feinsinnige Mutter war dir nicht gebildet genug, jetzt entdeckst du in einem Bauerntrampel ein römisches Idealbild?«

»*Amor vincit omnia* – die Liebe besiegt alles und auch alle Unterschiede«, sagte der Alte und strahlte. »Und es kommt noch besser! Elena lässt mich wieder fröhlich werden, Max hat mir das Leben gerettet. Deswegen möchte ich ihn als Haupterben einsetzen. Mizzi bekommt natürlich eine angemessene Mitgift, denn Max hat mir erzählt, dass sie heiraten will. Ich denke da an eine Doppelhochzeit mit Glanz und Gloria.«

Harald reichte es. Er ging auf den Balkon und starrte vor sich hin. Waren das gute oder schlechte Nachrichten? Einerseits waren diese Hirngespinste Grund genug für eine Entmündigung, andererseits hatten die Ideen seines Vaters eine – wenn auch völlig verquaste – Logik. Ob er Elena bereits einen Antrag gemacht hatte?

Eine Doppelhochzeit! Seine wunderschöne Mizzi mit diesem scheußlichen Mannweib Jasmin, sein ehemals kultivierter Vater mit der vulgären Elena! Womöglich alle drei Frauen in blütenweißen Gewändern mit Kränzen auf dem Kopf, und der Alte im hellblauen Fleece-Anzug am Rollator. Da Elena mit Sicherheit eine fromme Katholikin war, würde sie auf einer kirchlichen Trauung bestehen; allerdings musste dann das zweite Paar außen vor bleiben. Harald merkte plötzlich, dass er sich bereits Gedanken um seinen dunklen Anzug machte, der ihm wahrscheinlich zu eng geworden war.

»Blödsinn!«, sagte er laut. »Das könnte euch so passen!«

10

Als Max mit mehreren Tüten vom Einkaufen zurückkam, stürzte Harald sofort auf ihn zu.

»Dein Großvater ist anscheinend total plemplem geworden«, sagte er.

»Der ist näher mit *dir* verwandt als mit mir«, bemerkte Max. »Aber du brauchst nicht gleich auszuflippen, Papa! Wahrscheinlich handelt es sich bei Opa um zeitweilige Durchblutungsstörungen im Hirn, jedenfalls habe ich es so im Internet recherchiert. Deswegen ist er manchmal leicht verwirrt und sucht seine Ilse. Ich denke, es kommt daher, dass er die Oma so vermisst.«

»Quatsch, meine Mutter war ihm schon immer egal«, sagte Harald. »Stell dir vor, er will wieder heiraten!«

»Nein!«, rief Max und lachte.

»Ich mache keine Witze, er hat sich anscheinend in diese schwarze Hexe verliebt, die ihn schon in aller Frühe aufgeilt.«

»Papa, wie kannst du so was sagen! Elena ist keine Hexe, sie ist sehr nett. Übrigens siehst du aus wie Opa, wenn du dich so aufregst!«

»Danke!«

»Gern geschehen. Aber bleib mal auf dem Teppich. Falls du Elena für eine Erbschleicherin hältst: Sie hat einen Mann, drei Töchter und sogar schon Enkelkinder. Opa hat dich verarscht.«

Max fand das zum Brüllen. Um seinen Vater nicht zu sehr durch sein Grinsen zu provozieren, trug er die Einkäufe in die Küche. Doch seine gute Laune verging ihm schnell. Heute musste er nach Dossenheim, um den Sessel des Alten abzuholen, und leider auch nach Heidelberg – es war Zahltermin. Mit Falko war nicht zu spaßen. Zum Glück war es jetzt etwas einfacher für Max geworden, die Termine einzuhalten. Noch schöpfte er aus dem großväterlichen Depot. Früher musste er wöchentlich 100 Euro zusammenkratzen, jetzt konnte er einmal im Monat die gesamte Summe hinblättern.

Falko war brutal, hatte aber eine Art Ganovenehre und würde in zwei Jahren die endgültige Tilgung akzeptieren und von weiteren Forderungen absehen. Niemals hätte Max sich aus reiner Gutmütigkeit auf krumme Machenschaften einlassen sollen, aber für Reue war es zu spät. Sprüche wie: »Dir fehlt gleich ein Satz Ohren«, oder: »Du kommst heute noch unter die Erde«, hatten ihm Angst eingejagt.

Falkos Sohn Kevin war einer der Jungen, den er als Zivildienstleistender betreut hatte. Das heißt, Max war damals erst achtzehn und durfte noch keine pädagogische Verantwortung übernehmen. Man setzte ihn hauptsächlich für Boten- und Fahrdienste, im Büro, in der Küche und bei der Essensausgabe ein, er war aber auch für sportliche Freizeitaktivitäten zuständig. Gelegentlich kehrte er gemeinsam mit den Jungen den Hof und die Wege.

Kevin war ein verstörtes Kind, soweit Max es damals einschätzen konnte; seine Mutter war an Leberzirrhose gestorben, sein Vater saß im Gefängnis. Wahrscheinlich hatte man Kevin wegen der ungünstigen Sozialdiagnose in diesem Heim untergebracht, seine früheren Vergehen waren lässliche Sünden – es handelte sich um Eigentumsdelikte, nicht um Körperverletzung. Max wurde zur Vertrauensperson, er hörte sich Kevins Probleme und Versagensängste an und zog ihn ein wenig den anderen vor. Es tat beiden gut.

Viele dieser notorischen Schulschwänzer hatten ihre liebe Not damit, den Hauptschulabschluss zu schaffen. Auch Kevin hatte gigantische Defizite, und Max gab ihm regelmäßig Nachhilfeunterricht. Da Max selbst ein schlechter Schüler gewesen war, konnte er sich gut in seinen Schützling einfühlen und gab sich Mühe, ihm auf unkonventionelle

Weise auf die Sprünge zu helfen. Nie hätte er gedacht, dass Kevin dieses Vertrauen ausnutzen und ihm eines Tages das Handy stehlen würde.

Max galt bei den Lehrern und Sozialpädagogen als zuverlässig und engagiert und durfte gelegentlich den einen oder anderen Jungen in die Stadt oder zu Angehörigen begleiten. Eines Tages fuhr er Kevin nach Bruchsal, wo sein Vater in der Justizvollzugsanstalt einsaß. Einmal im Monat durfte Kevin seinen Papa besuchen. Dort musste es passiert sein, dass Kevin seinem Vater das begehrte Objekt hinter dem Rücken des Aufsichtspersonals aushändigte. Max hatte noch genau vor Augen, wie sie durch die hohen Mauern in die Strafvollzugsanstalt hineingelangt waren. Hinter einer Glasfront saßen zwei graugekleidete Uniformierte, denen sie den Personalausweis durch einen Schlitz durchreichen mussten; die Daten wurden in einen Rechner eingespeist. Später erfolgte eine kurze Leibesvisitation, wobei es Max nie klargeworden war, wo Kevin das kleine Handy versteckt hatte – am ehesten noch kamen seine Stiefel in Frage.

Jener schwarze Tag war der Anfang seiner verhängnisvollen Bekanntschaft mit Falko. Max hatte ihn nur kurz begrüßt und sich dann verzogen, um Vater und Sohn nicht weiter zu stören. Die beiden saßen sich gegenüber, die Tische neben ihnen waren mit traurigen Frauen oder Familienmitgliedern besetzt, die das Oberhaupt ihres Clans besuchten.

Während sich Max im Hintergrund mit einem Beamten unterhielt, fiel ihm auf, dass man offenbar über ihn sprach und sich mehrmals nach ihm umdrehte. Max wertete es positiv – Kevin berichtete seinem Vater bestimmt, dass er im Heim einen älteren Freund gefunden habe, auf den er bauen könne. Heute konnte Max kaum begreifen, wie naiv er damals gewesen war.

Bereits an jenem Abend klingelte das Telefon seiner Eltern, die aber nicht zu Hause waren. Es war Falko, der sich artig bei Max bedankte. Er mache sich große Sorgen um seinen Sohn, dem er nach dem Schulabschluss eine gute Ausbildung ermöglichen wolle. Er selbst werde erst in einem Jahr entlassen und sei nicht in der Lage, sich darum zu kümmern. Vor allem fehle ihm Geld, um Kevin für ein paar Monate nach England zu schicken, aber da gebe es durchaus eine Möglichkeit. Nur kenne er keinen außerhalb des Knasts, dem er wirklich vertrauen könne. Dann verabschiedete er sich und ließ Max Zeit, über diese Worte nachzudenken. Nie wäre Max auf die Idee gekommen, dass er mit dem eigenen Handy, auf dem die elterliche Nummer natürlich gespeichert war, angerufen wurde. Er vermisste es erst einige Tage später. Das war nun fast zwei Jahre her, und seitdem hatte sich einiges ereignet.

Diesmal hatte er Glück. Falko wartete in Heidelberg bereits in der Tiefgarage, hatte wenig Zeit, stieg nicht einmal vom Motorrad und warf bloß einen kurzen Blick auf die vier Scheine.

»Bingo«, sagte er, stopfte das Geld in die Brusttasche und zischte ab.

Max fuhr erleichtert nach Dossenheim. Dort lud er den Ohrensessel mühsam in seinen Wagen, holte den Zigarrenvorrat aus dem Buffet und stöberte noch ein wenig in den Schubladen herum. Opa war früher ein ordentlicher Mensch gewesen, wenn er es auch in den letzten Jahren nicht mehr so genau genommen hatte. Da fand sich eine schmutzige Gabel bei den Schreibsachen, eine halbleere Pillenschachtel bei den Gläsern und ein Brief bei der Unterwäsche. Auch ein handgeschriebenes Testament lag im Sekretär, allerdings war es bereits kurz nach dem Tod seiner Frau ausgestellt worden. Max konnte nichts Besonderes darin entdecken – es ging dem Alten hauptsächlich darum, dass er eingeäschert und die Urne neben seiner Ilse bestattet werden sollte. Seine beiden Kinder Harald und Karin sollten das Haus erben, Mizzi und Max würden eine Summe – hier gab es eine Leerstelle – für ihre Ausbildung erhalten, die australischen Enkel wurden nicht berücksichtigt. Vielleicht hatte er sie einfach vergessen.

Der Alte freute sich wie ein Kind über den Sessel, noch mehr aber über die Zigarren.

»Dann wollen wir doch gleich mal«, sagte er. »Hast du auch an Streichhölzer gedacht?«

»Nicht im Bett, Opa«, sagte Max, half seinem Großvater erst auf die Beine, dann in den Sessel und gab ihm Feuer. Schließlich hüllte er den Alten in die Bettdecke und machte die Balkontür auf. Draußen war es seit ein paar Tagen frühlingshaft warm.

»Fabelhaft«, sagte der Alte und paffte vor sich hin. »Aber es schmeckt irgendwie anders. Ist das auch meine Sorte?«

»Natürlich, aber mach schnell. Mama und Papa brauchen dich nicht unbedingt so zu sehen«, sagte Max. »Früher oder später wird Mama den Braten sowieso riechen, und dann kriegen wir beide unser Fett ab.«

Als ein Stück Asche herunterfiel, scharrte es der Alte mit dem Fuß in den Teppich hinein.

»Asche konserviert«, bemerkte er.

Tatsächlich kam es noch schlimmer. Petra, die ihres Mannes wegen früher heimkam, ertappte gleich drei qualmende Sünder – den Alten, Jenny und ihren Sohn, der diesem Laster doch längst abgeschworen hatte. Sie war fassungslos. Wieso war die Pflegerin schon hier? Was hatte ihren Sohn dazu bewogen, einem Schwerkranken Zigarren zu beschaffen? Als Erstes fuhr sie Jenny an.

»Ich werde es Ihrer Chefin sagen, dass Sie während der Arbeit geraucht haben!«

»Im Augenblick bin ich gar nicht im Dienst«, widersprach Jenny. »Meine Kollegin braucht die Patientenmappe, die hier liegengeblieben ist. Ich bin viel später wieder an der Reihe, erst für Herrn Knobels Nachttoilette!«

Schon rutschte sie von der Kante des Pflegebetts, auf dem sie dicht neben Max Platz genommen hatte, stand auf und verschwand. Der Alte thronte auf dem unappetitlichen rosa Sessel, den Petra nur allzu gut kannte. Ihr fehlten die Worte und sie stürzte aus dem Raum, um ihren Mann zur Verstärkung zu holen.

Harald lag in einem weinerlichen Zustand im Bett, und schon quälten Petra wieder Gewissensbisse. Am liebsten hätte sie auch geheult.

»Was ist denn?«, fragte sie und wurde plötzlich sanfter.

Harald schluchzte wie ein Kind.

»Ich bin ein schlechter Mensch«, stieß er hervor.

133

Hörte sie richtig? Also ging es gar nicht um ihre Affäre. Petra verstand überhaupt nichts mehr und wurde wieder zornig: »Dein Sohn und dieses blonde Gift kiffen wie die Weltmeister, dein Vater raucht gerade eine Zigarre, und du liegst nebenan und hast von nichts eine Ahnung!«

Ihr Mann wischte sich die Tränen aus den Augen: »Lass ihn doch, umso schneller wird er abkratzen!«

Dieses Argument leuchtete Petra irgendwie ein, sie wurde ruhiger und strich erleichtert die Bettdecke glatt. Aber dann kamen ihr wieder neue Bedenken.

»Und wenn er das ganze Haus abfackelt?«

»Max passt schon auf. Aber letzten Endes war es euer Wunsch, dass mein Vater hier einzieht. Ich war von Anfang an dagegen.«

»Inzwischen gebe ich dir ja recht, es ist alles anders gelaufen, als ich mir gedacht habe. Zu allem Überfluss hat unser toller Sohn etwas mit dieser Jenny angefangen…«

Harald horchte auf. »Wie kommst du darauf?«, fragte er ungläubig.

Petra erzählte, wie sie spätabends eine weibliche Stimme im Zimmer ihres Sohnes gehört hatte. Mittlerweile sei sie sich fast sicher, dass es Jennys Organ gewesen war. Es sei zwar erfreulich, wenn der Herr Sohn endlich Frühlingsgefühle hege, aber eine nette Studentin wäre ihr eigentlich lieber. »Es spricht doch sehr gegen eine Pflegerin, wenn sie sich nachts in ein Haus schleicht, in dem sie tagsüber einen Patienten pflegt.«

Harald fand das nicht so schlimm und deutete an, dass ihm Jenny besser gefiele als alle Freundinnen, die Mizzi jemals mitgebracht hatte.

Petra war sauer. Die vielen fremden Frauen im Haus waren ihr ein Greuel. Auch hatte sie den Verdacht, dass ihre teure Hautcreme schneller als sonst zu Ende ging. Ob man sie dem Alten auf den Rücken schmierte?

Niemand anderes als ihr Schwiegervater war daran schuld, dass ihr Mann jetzt depressiv war. Der schmauchende Alte musste schleunigst aus dem Haus, doch was tun gegen die drohende Enterbung? Sie würde ihren Mann in ein noch tieferes Loch stürzen. Apropos stürzen – war ein Sturz nicht womöglich eine gute Idee? Beim Drehen eines Westerns wurden doch Stolperdrähte gespannt, damit die Pferde an der richtigen Stelle zu Fall kamen. Für einen alten Mann, der bereits ein lädiertes Bein hatte, täte es vielleicht schon ein Faden. Mittlerweile tappte er täglich durch die Gegend, war schon einmal gestrauchelt und auf dem

Boden gelandet. Dass er bis in die intime Sphäre ihres Schlafzimmers vorgedrungen war, wo er nun wirklich nichts zu suchen hatte, fand sie schockierend.

Es war allerdings ein Problem, wann und wo sie das Fädchen spannen sollte, ohne dass Max es bemerkte. Ihr Junge, der sich bisher vor allen häuslichen Pflichten gedrückt hatte, nahm nun seine Aufgabe überaus genau, wenn auch nicht im Sinne seiner Eltern. Er half seinem Großvater leider nicht beim Sterben, sondern ließ ihn von Tag zu Tag lebendiger werden. Weiß der Teufel, wo das noch hinführen sollte. Der Alte würde womöglich noch alle unter die Erde bringen.

Als Willy Knobel seiner Schwiegertochter am nächsten Tag an zwei schäbigen Krücken entgegenhumpelte, sah Petra dies als Fingerzeig des Schicksals.

»Die hat mir meine gute Elena mitgebracht«, sagte er stolz. »Sie gehörten einem gewissen Edoardo, der sie nicht mehr braucht. Mit dem dämlichen Rollator kann ich mich überhaupt nicht anfreunden, aber mit einer Krücke möchte man beinahe Seeräuber spielen.«

Petra lächelte freundlich. Unter solchen Umständen war ein Unfall sicherlich leicht zu provozieren, denn es sah recht wacklig aus, wie der Alte so daherzuckelte.

»Ist dein getreuer Max nicht da?«, fragte sie.

»Weiß ich nicht, aber ich brauche ihn zum Glück nicht ununterbrochen. Ich übe jetzt täglich auf dem Flur, selbst ist der Mann!«

Max würde ihm die Gehversuche auf eigene Faust sicherlich ausreden, aber Petra ermunterte ihn durchaus zu kühnen Experimenten.

»Toll!«, sagte sie. »Für mich ist es eine grandiose Vorstellung, wenn du uns eines Tages überraschst und ganz plötzlich am Esstisch auftauchst. Ich werde es keinem verraten, dass du in aller Heimlichkeit so fleißig trainierst!«

Ob man am besten eine Angelschnur aus Nylon besorgte oder lieber dünnes Nähgarn, das sofort einriss? Hauptsache, Max schöpfte keinen Verdacht. Nach Möglichkeit sollte er gar nicht anwesend sein, denn die Versperrung musste ja sofort nach dem Unfall wieder entfernt werden.

Die Logistik war gar nicht so einfach. Max wurde einige Tage später mit einer riesigen Einkaufsliste fortgeschickt. Petra wiederum verließ ihren Buchladen gegen elf, angeblich um schnell etwas zu besorgen. Kaum war sie zu Hause angelangt, schlich sie lautlos nach oben. Die Tür des Krankenzimmers war wie immer bloß angelehnt, damit man den Alten hören konnte, wenn er rief. Er saß frisch gewaschen im Jogginganzug auf seinem Sessel, hatte die Kopfhörer aufgesetzt und redete sich wie üblich seinen Ärger von der Seele. Petra brauchte gar nicht leise zu sein, er konnte sie nicht hören. Aber sehen würde er sie auf jeden Fall, wenn sie sein Zimmer betrat und dort Fäden spannte.

Also musste sie die Stolperfalle auf dem Flur anlegen und versuchen, ihren Schwiegervater irgendwie aus seinem Zimmer zu locken. Sie hatte sich für farbloses Nähgarn entschieden, das sie auf der Diele zwischen der untersten Schublade einer Kommode und dem Treppengeländer festzurrte. Fast wie ein Netz. Sie war die Spinne, die auf ihre Beute lauerte.

Stundenlang durfte das aber nicht dauern, Max würde nach Hause kommen, die Fäden bemerken und ihren Plan durchschauen – oder schlimmstenfalls auch selbst zu Fall kommen. Petra versuchte also, den Alten aus seiner Höhle zu locken und wählte vom Schlafzimmer aus die eigene Nummer per Handy. Ein Apparat stand unten im Wohnzimmer, der andere oben auf dem Flur. Sie ließ es läuten und läuten, der Alte hörte es nicht.

Als sie schon aufgeben und gerade ihren Posten verlassen wollte, sah sie durch den Türspalt, wie er schließlich die Kopfhörer abnahm und versuchte, sich mit der Krücke ein Taschentuch zu angeln, das vor ihm auf dem Boden lag. Seine Nase tropfte wie so oft, und er wischte sie schließlich mit dem Ärmel ab.

Dann drehte er kurz den Kopf zur Tür, als hörte er endlich das Geklingel. Es schien ihn aber nicht weiter zu interessieren, denn er stülpte sich die Kopfhörer ungerührt wieder über.

Für heute ließ Petra ihren Plan fallen, schnitt die Fäden durch und entfernte alle Spuren. Sie wollte rechtzeitig zur Mittagspause wieder im Laden sein. Wenn sie ihren Lover auch nicht wirklich liebte, so war er doch der einzige Mensch, der ihr aufmerksam zuhörte. Früher war es Mizzi gewesen, der sie ihre Sorgen anvertrauen konnte, aber seit ihre Tochter mit Jasmin zusammenlebte, war es damit vorbei.

11

»Mein Junge, ich muss mit dir reden«, sagte Willy Knobel zu Max. »So geht es nicht weiter! Ich war immer durch und durch Realist und habe inzwischen eingesehen, dass ich nie wieder Auto fahren werde. Mein Wagen muss dringend abgeschafft werden, er steht im Stall und frisst bloß Geld. Wenn du den Verkauf übernimmst, darfst du den Erlös behalten.«

»Ach, Opa, du wirst keinen Cent mehr für dein Auto kriegen. Im Gegenteil, man muss wahrscheinlich noch die Verschrottung bezahlen.«

»Das darf ja wohl nicht wahr sein! Aber ein Inserat aufgeben könntest du trotzdem, die Fahrzeugpapiere liegen in meinem Sekretär. Es gibt auch noch andere Dinge, die geregelt werden müssen. Zum Beispiel sollte meine Zeitung abbestellt werden!«

»Hab' ich schon getan, Opa.«

»Bravo. Und für die Post muss man einen Nachsendeantrag stellen.«

»Geht in Ordnung. Was noch?«

»Ich möchte ein kleines Radio haben, meines ist zu groß für diesen Nachttisch.«

»Kann ich auch besorgen. Sonst noch was?«

»Allerdings, denn das war nur der Anfang – es ist mir nämlich irgendwie peinlich. Also endlich zur Sache, *in medias res!* Ich habe längst begriffen, dass du meinetwegen dein Studium vernachlässigst. Ein solches Opfer kann ich nicht annehmen.«

Da gestand ihm Max, dass er das Studium so oder so aufgeben wolle, weil ihn die Fächer Anglistik und Kunstgeschichte zu Tode langweilten. Den begehrten Studienplatz für Medizin könne er sich aber wahrscheinlich abschminken.

»Es ist immer mein Wunsch gewesen«, sagte der Alte, »einen vernünftigen Arzt in der Familie zu haben. Ich kenne eigentlich nur Quacksalber! Die Axt im Haus erspart den Zimmermann, du würdest mich vor den Scharlatanen retten. Könnte man die Zentralstelle zur Vergabe von Studienplätzen eventuell bestechen? Ich würde dir gern die Mittel dafür zur Verfügung stellen.«

»Opa, du kommst ja auf kriminelle Ideen!«

»Soll ich mein Geld mit in die Grube nehmen? Wenn es mir und dir gutgehen soll, müssen wir etwas dafür tun – *de nihilo nihil,* von nichts kommt nichts. Auf jeden Fall werde ich dir jetzt einen Barscheck ausstellen, damit du eine größere Summe abheben kannst. Und dann machst du dich am

Sonntag mal richtig fein, ziehst eine Krawatte an und führst die Jenny zum Tanztee aus.«

Jetzt musste Max lachen.

»Am liebsten mochte Ilse langsamen Walzer. *Ich tanze mit dir in den Himmel hinein …*«, krächzte der Alte.

Es war wie im Kino, wo junge Damen noch bodenlange Ballkleider trugen.

»Opa, ich habe auch eine Bitte: Die Pflegerinnen sagen, dass du viel trinken sollst. Ich stelle dir jetzt täglich eine Flasche Wasser ans Bett, die du leer trinken musst.«

»*In vino veritas, in aqua cholera*«, sagte der Alte. »Ein Gläschen Wein zum Essen wäre mir lieber.«

Max schaute auf die fleckigen Hände mit den knotigen Fingergelenken seines Großvaters und stellte sich vor, wie er früher einmal seine Ilse gepackt und herumgeschwenkt hatte. In diesem Moment setzte sich der Großvater allerdings umständlich die große Hornbrille auf, zog einen Kugelschreiber aus der Nachttischschublade und ließ sich die Formulare der Bank reichen. Mit zittriger Hand setzte er korrekt, aber krakelig den Namen seines Enkels und den Ort ein. Nur das Datum musste er erfragen.

Max studierte den Scheck aufmerksam. Der Alte

hatte 3000 Euro eingetragen, aber man konnte ohne weiteres noch eine Zahl voranstellen, etwa eine
Neun. Ob die gesamte Summe für Max gedacht
war, oder ob der Großvater wie gewohnt einen
Vorrat anlegen wollte? Von den damals überbrach-
ten Scheinen hatte der Alte je einen Fünfziger an
Elena und Jenny verschenkt.

»Und was willst du mit deinem Haus machen?«,
fragte Max, denn das war wohl das größere Problem.

»Vielleicht vermieten?«

»Alles steht voll mit deinen Sachen!«

»Dann eben möbliert vermieten. Ach Junge, ich
habe die Hoffnung noch nicht ganz begraben, dass
ich eines Tages wieder dort leben kann. Deine Eltern sind nicht direkt glücklich mit der jetzigen
Lösung. Sieh mal, mir geht es ja täglich besser.
Oder hältst du es für vermessen, wenn ich noch
solche Träume habe?«

Was sollte Max dazu sagen? Er lächelte nur.

Der Alte war im Laufe des Gesprächs mehr und
mehr in Erregung geraten, atmete schwer und
wollte wieder ins Bett, um sich auszuruhen. Kopfhörer und Fernseher rührte er nicht an.

»Ich habe seit sechzig Jahren nicht mehr ge-
tanzt«, murmelte er und schlief bald ein.

Max ging in den Keller, wo sich sein Vater eine professionelle Werkstatt eingerichtet hatte. Dort stand ein kleines Radio, das kaum benutzt wurde. Harald hatte selten Zeit zum Basteln. Der Raum war für Max mit trüben Erinnerungen verbunden. Als Kind hatte er sich noch gern hier herumgetrieben und auch die ersten handwerklichen Experimente gewagt. Aber es gab regelmäßig Krach, weil er Sägespäne nicht aufkehrte, die Werkzeuge nicht ordentlich wegräumte, Nägel in das Treppengeländer trieb oder Stühle mit meterlangen Klebebändern umwickelte. Mizzi konnte sich dagegen alles erlauben, sie war zwar ebenso chaotisch, aber viel raffinierter, geschickter und älter als er.

Einmal hatte er mit seiner Schwester einen Lego-Wettbewerb veranstaltet. Klar, dass sie ihm voraus war und das reinste Märchenschloss erbaute; Max schaffte nur eine Tankstelle. Der Vater – schließlich vom Fach – sollte den Preis vergeben. Er begeisterte sich für Mizzis Werk, nannte sie seine kleine Architektin und beachtete die etwas klobige Tankstelle fast gar nicht.

Noch heute spürte Max seine Enttäuschung, während er eine Verlängerungsschnur vom Haken nahm. Er klemmte sich das Radio unter den Arm und brachte es seinem Opa hinauf.

Später saß die Familie bei Grillhähnchen, Feldsalat und Pommes am Tisch, als plötzlich eine lautstarke Frauenstimme aus dem oberen Stockwerk ertönte.

»Ich dachte, er nimmt jetzt immer die Kopfhörer«, sagte Petra. »Max, kannst du mal eben ...«

»Das mache ich lieber selber«, fiel ihr Harald ins Wort und warf seine Serviette zu Boden.

Im Krankenzimmer sah er mit einem Blick, dass es nicht der Fernseher, sondern ein dröhnendes Radio – sein Radio – war, das Max offenbar heraufgeholt hatte. Harald stellte wütend den Ton ab, der Alte protestierte.

»Mach sofort wieder an! Ilse liest mir gerade vom Lumpengesindel vor!«

Aber Harald ließ sich nicht beeindrucken und trug den Apparat zurück in den Keller.

Wieder am Tisch, schob er den Teller von sich und bemerkte scharf: »Der Appetit ist mir gründlich vergangen. Vater spinnt total, meine Mutter las ihm gerade Grimms Märchen vor! Morgen frage ich Doktor Ofenbach, welche Maßnahmen man bei einer Entmündigung durchführen muss. Am besten nicht nur für meinen Vater, sondern auch für unseren bescheuerten Sohn.«

Petra und Max sahen sich ratlos an.

Dann meinte Max: »Reg dich nicht so auf, Papa, du brauchst überhaupt nichts einzuleiten. Morgen ist er wieder klar und kommt auch ohne Vormund zurecht. Außerdem war ich heute in Dossenheim und habe zufällig sein Testament gefunden.«

»Ach, was steht da alles drin?«, fragte Petra.

»Er möchte neben Oma begraben werden«, antwortete Max und schwieg wieder, um seine Eltern ein wenig auf die Folter zu spannen. Nach einer angemessenen Pause berichtete er schließlich, dass der Alte seine Kinder gemäß der gesetzlichen Erbfolge eingesetzt habe und es keine speziellen Klauseln gebe. »Ich kann den Wisch ja nächstes Mal mitbringen«, bot er an. »Es ist alles völlig einwandfrei, handschriftlich, mit Datum und Unterschrift.«

»Gut«, sagte Harald etwas versöhnt, »das Radio bleibt aber gefälligst an seinem Platz. Und das Testament gibst du mir, ich werde es gut verwahren.«

Sollte der Alte ein zweites Dokument mit einer Enterbung aufsetzen, dann war es wohl kein Problem, das neue einfach verschwinden zu lassen.

Kurz darauf hörte Max, wie die Haustür leise geöffnet wurde. Endlich kam Jenny, die sich auf seinen heutigen Anruf nicht gemeldet hatte. Er verließ seinen Platz, ohne auch nur einen Teller hinauszutragen.

Petra und Harald saßen weiter vor abgenagten Knochen und hatten sich nur Unerfreuliches zu erzählen. Die nette Türkin, die seit Jahren alle vierzehn Tage das Haus von oben bis unten in Schuss hielt, war ernsthaft erkrankt. Und eine Angestellte in Petras Buchladen war schwanger. Harald wiederum ärgerte sich über einen anonymen Brief, in dem er als korrupt bezeichnet wurde. Die geplante Tiefgarage, die sich fast unter der gesamten Fußgängerzone bis zum Marktplatz hinziehen würde, sei dilettantisch geplant und werde unzählige Häuser zum Einsturz bringen, so wie es seinerzeit in Köln mit dem Stadtarchiv geschehen sei. Harald habe die Baugenehmigung einem unqualifizierten Spezi zugeschanzt und dadurch das Leben seiner Mitbürger in Gefahr gebracht. »Wenn Sie diesen Wahnsinn nicht aufgeben, werden Sie und Ihre Familie dafür büßen«, zitierte er. Natürlich hatte Harald sofort die Kriminalpolizei eingeschaltet und das Corpus Delicti den Spezialisten überlassen.

»Du machst mir direkt Angst«, sagte Petra. »Aber vielleicht ist das bloß ein Neidhammel, der den lukrativen Auftrag gern selbst erhalten hätte. Der Verdacht ist ja auch nicht ganz unbegründet, weil dein Jürgen wirklich den Zuschlag gekriegt hat.«

»Halt bloß den Mund«, sagte Harald.

Jenny war heute nicht gut aufgelegt, sie hatte nur einen flüchtigen Gruß für Max übrig und keine Zeit für ein privates Gespräch. Kaum war sie mit dem Alten fertig, war sie bereits auf und davon.

Ob Falko immer noch eine Rolle in ihrem Leben spielte? Max hätte ihr gern erzählt, wie er vor zwei Jahren die größte Dummheit seines Lebens begangen hatte, aber er wollte andererseits nicht als totaler Trottel dastehen. Damals hatte er sich breitschlagen lassen, Falko einen Gefallen zu tun.

Der Schrebergarten lag etwas außerhalb eines Heidelberger Vororts. Neben der Hütte befand sich direkt unter der Regenrinne ein blaues Plastikfass der BASF, das Max beiseiterollen sollte. Die Tonne stand auf ausrangierten Fliesen, von denen eine nur lose auflag, und genau darunter war der Schatz vergraben. Anfangs machte Max die Sache Spaß, er kam sich vor wie der Held einer Abenteuergeschichte. Das Problem war eigentlich nur, den bewussten Garten zu finden. Max kurvte ziemlich lange auf verbotenen Wegen herum und wäre mit seinem Wagen fast an einem ungesicherten Hang abgerutscht, ehe er die Schilder *Nur für Kleingärtner* und *Schuttabladen verboten* entdeckte.

Die Kassette war leicht angerostet und mit Paketband fest umwickelt. Sie enthielt angeblich Schmuck von Falkos verstorbener Großmutter,

den Max bei einem gewissen Bobo im Pfaffen-
grund abliefern sollte. Bobo würde den Schmuck
verkaufen und Kevin mit dem Geld eine England-
reise bezahlen. Diese eiserne Reserve hatte Falko
nicht zu Hause aufbewahrt, weil seine frühere
Frau alles vertrank.

Irgendwann, als Max wieder im Auto saß, fing
er an zu grübeln. Warum holte dieser Bobo das
Kästchen eigentlich nicht selbst ab; war da nicht
etwas faul an Falkos Geschichte? Max nahm die
Kassette erst einmal mit nach Hause. Um sie zu
öffnen, musste er Werkzeuge seines Vaters zu Hilfe
nehmen.

Von großmütterlichem Schmuck konnte nicht
die Rede sein. Zwischen einer Schicht Luftpolster-
folie steckten zahlreiche Herrenarmbanduhren,
zum großen Teil noch mit Preisschildern – offenbar die Beute eines Einbruchs. Max war empört,
weil Falko ihn so dreist belogen hatte.

Was sollte er nun machen? Auf keinen Fall wollte er Falko verpfeifen, denn dann würde der Ha-
lunke noch länger im Knast sitzen müssen und
Kevin bliebe weiterhin allein. Andererseits wollte
Max auch nicht zum Komplizen eines Einbrechers
werden, und außerdem mussten die noblen Uhren
ihrem rechtmäßigen Besitzer wieder zugeführt
werden. Was Recht ist, muss Recht bleiben – dieser

Spruch seines Großvaters dröhnte ihm damals noch in den Ohren.

Es war ein Fehler, dass Max die Uhren unverzüglich auf einer Polizeiwache abgab und behauptete, er habe die Kassette zufällig in einer zugescharrten Grube entdeckt. Er sollte den Fundort genau beschreiben und skizzierte notgedrungen die ungefähre Lage eines Mammutbaums im Weinheimer Exotenwald. Seine Aussage wurde zu Protokoll genommen.

Als Falko anrief, konfrontierte Max ihn mit der Wahrheit, ohne groß über die Folgen nachzudenken. Falko blieb eine ganze Weile stumm und schien nachzudenken, dann musste Max schwören, dass er weder den Ort noch den Auftraggeber verraten habe. Schließlich legte Kevins Vater wortlos auf. Max ahnte nichts Gutes.

Nie im Leben würde er vergessen, wie ihn kurz darauf ein Unbekannter vor dem Elternhaus abfing, in einen unbeleuchteten Seitenweg zerrte und dort erbarmungslos auf ihn einschlug. Max ging blutend in die Knie, fiel zu Boden, blieb liegen, wurde noch einmal kräftig in die Seite getreten, konnte aber nach einiger Zeit mühsam aufstehen und nach Hause hinken, wo er sich durch die Garage hineinschlich. Seine Eltern hatten von alledem nichts mitbekommen.

Später fragte ihn Falko, ob er Pits Lektion kapiert habe. Dieser Freund war ein berüchtigter Schläger und im Milieu unter Pit Bull bekannt. »Wenn du singst, bist du morgen tot« – eine Warnung, die Max ernst nahm. Und wenn er nicht zahle, bis der Wert der Armbanduhren in etwa ausgeglichen war, werde Pit ihn mit einer Eisenstange bearbeiten. Er solle sich schon mal nach einem guten Zahnarzt umsehen.

Seit Falkos Entlassung waren jeden Monat 400 Euro fällig, und zwar auf die Dauer von drei Jahren. Ohne das Geld seines Großvaters hätte Max längst eine Zahnprothese. *Pecunia non olet,* hatte der Alte gern zitiert und dabei nicht geahnt, welchem Zweck seine Zuwendungen dienten.

Kurze Zeit nachdem ihn Pit Bull verprügelt hatte, beendete Max den Zivildienst und verlor Kevin aus den Augen. Vor kurzem war er ihm in der Heidelberger Fußgängerzone wiederbegegnet und hätte ihn kaum erkannt, da der früher so unscheinbare Junge weiße Schuhe trug, die Haare gegelt und sich im Sonnenstudio eine unnatürliche Bräune zugelegt hatte. Ohne Gruß gingen sie aneinander vorbei. Beide schienen sich zu schämen.

Später erfuhr Max zufällig, dass sein Misstrauen nur zum Teil berechtigt gewesen war. Bobo, der die Uhren verkaufen sollte, war querschnittsgelähmt und nicht in der Lage, die Beute persönlich aus dem Versteck zu holen.

Max hatte nie erfahren, wo Falko wohnte. Da Kevin den Familiennamen Müller trug, hatte er im Telefonbuch unter Falko Müller nachgeschaut. Müller gab es viele, aber kein Falko war dabei. Oder war Kevin ein uneheliches Kind und trug den Nachnamen seiner Mutter? Vielleicht hatte man Kevins Vater nur wegen seiner krummen Nase einen Raubvogelnamen angehängt, und er hieß in Wirklichkeit Fred, Karlheinz oder weiß der Teufel wie. Jedenfalls war Falko unter seinen Freunden offenbar der King. Plötzlich musste Max an König Drosselbart denken, der ein gebogenes Kinn hatte wie die Drossel einen gekrümmten Schnabel. Diese Geschichte hatte ihm seine Großmutter oft vorgelesen. Im Gegensatz zum Märchenkönig war Falko keine Erfindung.

12

»Im Sommer werde ich neunzig«, sagte der Alte.
»Und du hast dann auch irgendwann Geburtstag.
Wie alt wirst du eigentlich?«

»Einundzwanzig«, sagte Max.

Sein Großvater schlug vor, ein gemeinsames Fest
zu veranstalten und alle Freunde einzuladen.

»Wie viele hast du denn?«, fragte Max skeptisch
und erfuhr, dass die beiden engsten Freunde ver-
storben waren, ein paar andere nicht mehr richtig
tickten.

»Du hast wahrscheinlich viele Freunde«, meinte
der Alte wehmütig. Aber Max verneinte. Er war
immer ein Einzelgänger gewesen und sein einziger
richtiger Freund war nach der Bundeswehrzeit in
die USA ausgewandert. Sie schrieben sich gelegentlich E-Mails.

»Also können wir auf störende Gäste verzichten
und ganz unter uns auf den Putz hauen«, meinte
Max und bot dem Großvater eine Zigarre an.

»Mizzi sollte aber dabei sein«, meinte der Alte.
»Ich habe das Kind schon lange nicht mehr gesehen. Was läuft da eigentlich ab, was ich nicht

wissen darf? Sie geht doch nicht etwa auf den Strich?«

»Meine Schwester ist lesbisch«, sagte Max und steckte sich vor Schreck und Verlegenheit die erste Zigarre seines Lebens an.

Beide schwiegen ziemlich lange.

»Du hast schon einmal so etwas angedeutet, aber ich mochte es nicht glauben. Dann muss ich wohl die Hoffnung auf einen Urenkel begraben, denn du solltest nicht meinetwegen jetzt schon ein Kind in die Welt setzen. – Doch wer hätte das von unserer Mizzi gedacht! Einen solchen Fall gab es noch nie in unserer Familie«, sagte der Alte kopfschüttelnd.

»Vielleicht doch, Opa, aber man durfte es nicht aussprechen. Papa hat heute noch Probleme damit. Er kann die Jasmin nicht ausstehen, dabei ist sie völlig in Ordnung. Vielleicht redest du mal mit ihm …«

»Wieso ich? Das hätte überhaupt keinen Zweck, Harald hasst mich. Außerdem ist es manchmal besser, man hält den Mund – *si tacuisses* und so weiter. Wunden darf man nicht aufkratzen. Und schon gar nicht in meinem persönlichen Fall.«

Max wurde neugierig. Aber er wusste, dass man dem Opa nicht mit »Mir kannst du es ja sagen« kommen konnte.

»Was meinst du mit deinem persönlichen Fall?

Der Zoff mit Papa ist doch längst verjährt. Oder war es im Krieg?«, fragte er vorsichtig.

Lange Pause. Beide rauchten, Max hustete.

Dann flüsterte der Alte: »Ich habe einen Kameraden getötet.«

Dichter Qualm hüllte Großvater und Enkel ein. Max öffnete die Balkontür. Draußen schien die Sonne, Obstbäume begannen zu blühen, Vögel zwitscherten.

Der Alte berichtete mit jämmerlicher Stimme, wie er und ein anderer Soldat verwundet im Schützengraben lagen, drei weitere wollten Hilfe holen. Kurz darauf hörten sie Detonationen und waren sicher, dass es ihre Samariter erwischt hatte.

»Mich hatte es nicht lebensgefährlich getroffen, ich konnte aber nicht mehr laufen; mein Kumpel dagegen war schwer verletzt und brüllte vor Schmerzen. Er verlangte, dass ich erst ihn und dann mich selbst erschießen sollte, weil wir so oder so verloren wären. Wie durch ein Wunder wurde ich eine Stunde später gerettet. Diese Szene verfolgt mich noch heute bis in meine Träume.«

Max holte den Cognac seines Vaters und zwei Gläser. Er wusste keinen anderen Trost.

»Die Pistole besitze ich immer noch; wenn mich die Gewissensbisse plagten, habe ich sie manchmal hervorgeholt. Vielleicht hätte man meinem Kameraden ja helfen können. Das verfolgt mich bis heute. Ihr könnt euch gar nicht vorstellen, wie schlimm ein Krieg ist. Hoffentlich bleibt es euch weiterhin erspart.«

»Es gibt weltweit genug Kriege«, wandte Max ein. »Der Bruder einer früheren Mitschülerin ist in Afghanistan stationiert...«

Als Petra heimkam, roch sie bereits an der Haustür die Zigarrenschwaden und fand sowohl ihren Schwiegervater als auch ihren Sohn in betrunkenem Zustand vor, Haralds Cognacflasche war bis auf den letzten Tropfen leer.

»Lass dich begrüßen, du Holde! Doch was erspähen meine trüben Augen? Die Leidensmiene einer schönen Frau! Sei lieber lustig, *carpe diem!*«, rief der Alte und schwenkte sein Glas in der einen Hand, die Krücke in der anderen. Aus Ungeschicklichkeit und Übermut traf er die Nachttischlampe, die polternd herunterfiel und zu Bruch ging. Max krümmte sich vor Lachen.

So konnte es endgültig nicht weitergehen, dachte Petra, ihr Sohn geriet nicht etwa durch drogensüchtige Altersgenossen unter die Räder, sondern wurde vom eigenen Großvater auf die schiefe Bahn gebracht.

»Was ist hier los?«, fragte sie streng.

»Wir üben schon mal Geburtstag«, sagte Max. »Wir werden demnächst hundertelf, das ist eine Schnapszahl!«

»Schnaps ist gut für Cholera!«, krähte der Alte, und Petra stürzte hinaus, nicht ohne die Tür zuzuknallen.

Obwohl sie es nie von zu Hause aus tat, rief sie auf der Stelle ihren Lover an. Dort meldete sich eine Frau.

Geistesgegenwärtig sagte Petra: »Buchhandlung Knobel, guten Tag. Ihre Bestellung …«, wurde aber sofort abgeschmettert.

»Wir haben gerade Gäste«, sagte die Frau am anderen Ende der Leitung. »Es passt jetzt schlecht. Mein Mann ruft Sie morgen zurück.«

Petra starrte den Hörer an. Wieso sprach die Ex von *meinem Mann*, wo sie doch seit einem Jahr geschieden waren? Und warum hatten sie *gemeinsame* Gäste in *seiner* Wohnung? In ihrer Verzweiflung versuchte es Petra bei ihrer Tochter.

»Mizzi«, begann sie, »du kannst dir nicht vorstellen, was sich bei uns abspielt! Max und Opa sind außer Rand und Band, sturzbetrunken, das Haus ist total verräuchert, ich weiß nicht mehr ein noch aus …«

»Mama, du solltest froh sein, wenn Max endlich auftaut. Als Psychologin mache ich mir große Sorgen um ihn. Vielleicht holt er die fällige Rebellion mit Verspätung nach, in der Pubertät war er viel zu angepasst. Soll er doch saufen, was das Zeug hält, vielleicht führt es zu einer Metamorphose!«

»Wie bitte?«

»Die kleine Raupe wird hoffentlich noch ein Schmetterling! Mensch, Mama, er hat keine Freunde, von Mädchen ganz zu schweigen! Er hat keine Zukunftspläne, traut sich gar nichts zu und hängt bloß im Kino oder vorm PC rum. Ist doch okay, wenn er sich wenigstens um Opa kümmert. Und wenn die beiden jetzt mal auf die Pauke hauen, dann ist das richtig gut ...«

»Du siehst das falsch. Max schleppt Opas Pflegerinnen ab, der Junge ist überhaupt nicht so brav, wie du dir einbildest.«

»Umso besser. Ciao, Mama!« Mizzi hatte aufgelegt.

»Klugscheißerin«, murmelte Petra.

Wenn man vom Teufel spricht, dachte sie, als kurz darauf die Haustür aufging und Jenny und Harald gleichzeitig eintraten. Die beiden waren mitten im Gespräch, und ihr Mann zeigte sich seit langem wieder etwas lockerer. Dieses blonde Mädchen mit der heiteren Unschuldsmiene war in Wirklichkeit eine Natter, die sich in ihr Haus eingeschlichen und drei Generationen vergiftet hatte. Aber nur die Männer, dachte Petra, ich gehe ihr bestimmt nicht auf den Leim. Ihre geballte Aggression richtete sich nun gegen die junge Frau.

»Das ganze Haus stinkt!«, rief sie statt einer Begrüßung. »Und daran sind Sie schuld! Wie kann man als ausgebildete Pflegerin einen unvernünftigen alten Mann mit Zigarren versorgen! Ich werde veranlassen, dass Sie unverzüglich ersetzt werden.«

Jenny wandte sich hilfesuchend an Harald.

»Ihr Vater weiß selbst ganz gut, was er vertragen kann. Ein bisschen Lebensfreude ist die beste Medizin für unsere Senioren.«

Harald verzog sich kommentarlos in sein Arbeitszimmer, während Jenny hinaufhuschte.

Petra fühlte sich gedemütigt, aber es kam noch schlimmer. Kaum hatte sie die Schuhe abgestreift und war auf das Sofa gesunken, da klingelte das Telefon. Sie sprang wieder auf, weil sie sich fast sicher war, dass es ihr Liebhaber sein musste. Stattdessen meldete sich eine fremde, hohl klingende Stimme.

»Frau Knobel? Wenn Sie Ihren Mann nicht davon abbringen, unser Städtchen durch eine falsch konzipierte Tiefgarage zu verhunzen, dann werden wir Ihrer gesamten Familie einen furchtbaren Denkzettel verpassen.«

»Verhunzen? Eine Tiefgarage sieht man doch gar nicht …«, stotterte Petra. »Wer sind Sie überhaupt?«

»Sie werden den Tag noch verfluchen, an dem Sie uns persönlich kennenlernen.«

»Mein Mann hat überhaupt nicht darüber zu entscheiden, solche Projekte beschließt der Gemeinderat.«

»Aber sicher doch! Und die Ausschreibung war öffentlich, und alles ist mit rechten Dingen zugegangen. Dass ich nicht lache!«

Der Fremde legte auf. Petra blieb nichts anderes übrig, sie suchte ihren Mann. Sein Zimmer war mit in die Jahre gekommenen Möbeln ausgestattet, von denen er sich nicht trennen mochte. Der Ledersessel mit dem britischen Touch war auf der Sitzfläche abgewetzt, die Farbe in den Knitterfalten verblichen. Das String-Regal aus echtem Teakholz war einmal teuer gewesen, jetzt wirkte es nur noch spießig. Selbst der vier Jahre alte PC war laut Mizzi ein Fossil.

Harald lag mit der Zeitung auf der Couch. Er blieb einigermaßen gelassen, ließ sich den genauen Wortlaut von Petra wiederholen, setzte sich und schrieb alles auf. Dann rief er seinen Freund Ronald Melf von der Kriminalpolizei an.

»Er hat im Plural geredet, es ist also keine Einzelperson, sondern eine ganze Bande«, überlegte Petra und wurde leicht hysterisch. »Mein Gott, was mögen das für Leute sein!«

»Ein Spinner«, sagte Harald. »Du solltest das nicht so ernst nehmen.«

»Kann man den Bau der Tiefgarage nicht einfach zurückstellen?«, fragte Petra.

Harald schüttelte den Kopf. »Wie stellst du dir das vor, wir haben bereits mit dem Ausschachten begonnen! Jürgen hat zusätzliche Leute eingestellt, es ist schließlich der erste Großauftrag für seine Firma.«

Er sprang auf und schritt unruhig zwischen Bücherwand und Ledersessel auf und ab.

»Außerdem ist es ein Gewinn für die Innenstadt. Die Geschäfte bluten allmählich aus, weil es kaum Parkplätze gibt, die Leute fahren ins Rhein-Neckar-Zentrum zum Einkaufen. Ich kann mir überhaupt nicht vorstellen, wer durch die Tiefgarage einen Schaden erleiden soll. Und außerdem: Erpressen lasse ich mich nicht. Jürgen sollte aber für alle Fälle Bescheid wissen.«

Schließlich nahm er nervös eine Flasche Aquavit aus dem String-Regal und betrachtete sie stirnrunzelnd.

»Wo ist eigentlich mein Cognac geblieben?«

Petra wusste es zwar, hielt aber dieses Problem

im Moment für zweitrangig. Sie bestand darauf, dass man Max und vielleicht sogar Mizzi einweihen und warnen sollte.

Max verabredete sich gerade mit Jenny. Alles wie gehabt: Pizza, Kino und so weiter – hoffentlich. Als seine Mutter nach ihm rief, stellte er sich taub. Nur wenn der Alte auf der Toilette saß, hatte er ein wenig Zeit, um mit Jenny zu rauchen und zu tuscheln.

»In Opas Zimmer wohnte früher meine Schwester«, erzählte er. »Aber sie kommt nur noch selten aus Berlin hierher.«

Beim Stichwort Berlin wurde Jenny ganz hibbelig. Berlin sei ihr Traum, behauptete sie, noch nie habe sie es dorthin geschafft. Max sei sicherlich schon hundertmal dort gewesen.

»Ein einziges Mal mit meiner Klasse«, sagte Max und musste aufstoßen. »Meine Schwester hat mich schon häufig eingeladen, aber was soll ich dort?«

»Oh, du bist aber komisch!«, fand Jenny. »Den Reichstag sieht man doch ganz oft im Fernsehen oder diese kaputte Kirche und die Pferdchen auf dem Tor. Hotel Adlon, Madame Tussauds, Checkpoint Charlie …«

»… und die Siegessäule und der übrige beschissene Touristenkram«, sagte Max. »Wenn du so versessen darauf bist, warum fährst du nicht einfach hin?«

»Das ist eine Geldfrage; ein Hotel kann ich mir nicht leisten.«

Max meinte, dass Jenny bestimmt ein paar Tage bei Mizzi wohnen könnte. Unter diesen erfreulichen Umständen würde er sogar mitkommen. Jenny fiel ihm um den Hals. Sie wollte bereits am nächsten Tag mit ihrer Chefin sprechen, wann ihr ein verlängertes Wochenende zustände.

»Ob man meinen Großvater mal allein lassen kann?«, fragte Max, aber Jenny beruhigte ihn. Ihre Kolleginnen würden ja kommen, und inzwischen sei der Alte wieder ganz gut bei Kräften.

»Riecht man eigentlich, dass ich mit Opa Cognac getrunken habe?«, fragte er.

Jenny lachte nur.

In Hochstimmung begab sich Max schließlich zu seinen Eltern.»Ich esse heute nicht mit«, sagte er.

»Das trifft sich gut, denn ich koche heute nicht«, sagte seine Mutter giftig.

»Wer sich so volllaufen lässt wie du, dem verschlägt es bekanntlich den Appetit«, sagte sein Vater und schnüffelte angewidert.

Dann erfuhr Max vom anonymen Brief und dem Anruf, was ihn aber wenig beeindruckte. Er hatte ganz andere Erfahrungen mit der kriminellen Szene gemacht.

»Regt euch nicht auf«, sagte er. »Hunde, die bellen, beißen nicht.«

»Du redest schon fast wie Opa, nur nicht auf Latein«, bemerkte sein Vater.

Petra konnte es sich nicht verkneifen, »*Cave canem!*« zu rufen, ehe sie sich ein beruhigendes Kräuterbad einlaufen ließ. Max und sein Vater hatten sich nichts weiter zu sagen, Harald ging in die Küche und schmierte sich ein Graubrot mit Leberwurst.

Es war noch viel Zeit, bis Jenny mit der Arbeit fertig war und Max sie abholen konnte. Er sah noch einmal bei seinem Großvater vorbei, um ihm eine gute Nacht zu wünschen. Der Alte lag im Bett, grantelte vor sich hin und verfolgte in unterschiedlichen Kanälen möglichst alle Nachrichten und Horrormeldungen. Offensichtlich hatte er eine ganze Flasche Mineralwasser ausgetrunken. Max bedeutete ihm, die Kopfhörer abzunehmen. Endlich konnte er mal einen hausgemachten Schreckensbericht liefern. Fasziniert hörte sich der Alte die aufregenden Neuigkeiten an.

»Meinst du, dein Vater hat sich bestechen lassen?«, fragte er.

Max schüttelte den Kopf. »Papa ist sehr korrekt. Aber es sieht natürlich blöd aus, dass sein Duzbruder den Zuschlag für den Bau der Tiefgarage bekommen hat.«

Der Alte nickte zustimmend. Aber dann jubelte er beinahe: »Junge, hast du nicht begriffen – wir sind mitten in einem Krimi! Die wollen deinen Vater erpressen! Sie werden Mizzi ein Ohr abschneiden, deine Mutter entführen oder gar dich…«

»Oder dich«, sagte Max und grinste.

»Scherz beiseite«, sagte der Großvater. »An mir hätten sie wenig Freude, und Harald wäre bloß froh, mich loszuwerden. Aber du bist in Gefahr, Junge, merkst du das nicht?«

»Nee. Die Polizei ist bereits informiert, viel mehr kann man nicht machen.«

»Polizei? Die haben anderes zu tun, als Tag und Nacht vor unserem Haus zu patrouillieren. Wir sind schließlich keine Promis! Es wäre mir lieb, wenn ich meine Walther unterm Kopfkissen hätte. Sei doch so nett…«

»Opa, ich habe den Wehrdienst verweigert. Ich fasse keine Waffen an.«

»Die Pistole liegt – das ist mir ein bisschen peinlich – also sie steckt in einem Koffer zwischen den Heftchen. Na ja, solche mit nackten Weibern. Es war schließlich nach dem Krieg nicht ungefährlich, eine Militärpistole vor den Besatzern zu verbergen und jahrzehntelang sicher zu verwahren. Vielleicht kann uns das gute Stück jetzt von Nutzen sein. Jedenfalls ist euer Willy Knobel ein altgedienter Landser, der seine Familie in der Not verteidigen kann.«

Max versprach seinem Großvater, bei nächster Gelegenheit nach der Pistole zu suchen. Bestimmt war das alte Ding völlig verrostet, und man konnte damit keinen Schaden mehr anrichten.

13

Nein, Jenny wollte nicht, dass Max zu ihr nach Hause käme. Sie lebte in zwei kleinen Zimmern in einem billig gebauten Wohnblock, durch die dünnen Wände konnten die Nachbarn mithören, und es wimmelte von alten Leuten, die ständig durch den Spion registrierten, wer die Treppe hinaufkam. Alles Spießer, die nichts anderes zu tun hätten, als zu hetzen. Einen Lift zum vierten Stock gab es leider nicht, es handelte sich schließlich um Sozialwohnungen. Bei Max sei es viel gemütlicher, überhaupt liebe sie dieses alte Haus und alle seine Bewohner.

In ihrer zweiten gemeinsamen Nacht hatte Max ein paar Einzelheiten aus Jennys Jugend erfahren. Wie er geahnt hatte, war es nicht immer leicht für sie gewesen. Der Vater war als beinamputierter Frührentner zum ewig kränkelnden Nörgler geworden, die Mutter arbeitete im Schichtdienst und kam stets völlig erschöpft zurück. Jenny und ihre Schwester wurden schon früh zur Hausarbeit eingeteilt, und es setzte Ohrfeigen, wenn sie nicht spurten. Sie lebten in einem kleinen Ort im Odenwald. Um auf die Realschule gehen zu können, musste Jenny schon um sieben Uhr den Bus nehmen.

»Da lehnte ich mit meinen zehn Jahren todmüde am Fenster, ganz ohne mitfühlende Freundin. Außer mir fuhren nämlich nur Jungen mit, die mir mehr als einmal Kaugummi in die Zöpfe kneteten.«

»Und deine Schwester?«, fragte Max.

Sie lebte in Schweinfurt, war verheiratet und hatte Zwillinge. Jenny seufzte. Zwischen ihrer Kindheit und heute lag eine längere Periode, über die sie offensichtlich nicht gern reden mochte.

»Wie kommt es bloß«, fragte Max unverfänglich, »dass du immer guter Laune bist?«

»Mir macht die Arbeit Freude«, sagte sie. »Eigentlich wollte ich ja zur Polizei gehen, aber es ist ganz gut, dass daraus nichts geworden ist. Wer liebt schon Polizisten? Die alten Leutchen sind dankbar und mögen mich. – Sag mal, du hast doch Abitur und könntest studieren, willst du allen Ernstes Altenpfleger werden? Da verdient man leider ziemlich wenig.«

Max zuckte mit den Schultern. Er hatte eine Flasche Sekt besorgt, aber ihm war eigentlich nicht nach weiterem Alkohol. Auch Jenny hatte nach den zwei Gläsern Rotwein in der Pizzeria keine Lust darauf.

»Morgen muss ich fit sein«, erklärte sie und deutete damit an, dass es nicht allzu spät werden sollte. Wohl deswegen zog sie sich sehr schnell aus, und Max bekam den Falken auf ihrem Rücken zu sehen – ob er wollte oder nicht.

»Wenn mein Großvater stirbt, werde ich sicher ein bisschen erben. Und dann spendiere ich dir einen Besuch beim Hautarzt – oder wo lässt man Tätowierungen wegmachen?«

»Dermatologen sind die beste Adresse für Tattoo-Entfernungen, da habe ich mich schon erkundigt. Aber bei mir sind mindestens neun Sitzungen nötig, das kostet jedes Mal über 100 Euro – wie soll ich so viel Geld auftreiben?«

Sekundenlang geriet Max in Versuchung; er könnte einfach 1000 Euro vom Geld des Alten nehmen und Jenny damit eine Freude machen. Aber andererseits sah das fast so aus, als wollte er sie bezahlen.

»Wenn ich im Lotto gewinne«, sagte er, »dann wohnen wir in Berlin nicht bei meiner Schwester, sondern im *Adlon*. Und als Erstes spendiere ich dir einen neuen Rücken – so rosig wie bei einem neugeborenen Ferkel!«

»Selber Ferkel«, sagte sie, quiekte und lachte, weil sie jetzt anderes zu tun hatten.

Am nächsten Morgen war Max wie Samt und Seide. Als er das Frühstück brachte, strahlte er den Alten glücklich an.

»Hast du das gehört?«, fragte der Opa. Er hatte das Radio angestellt, das Max erneut aus dem Keller geholt hatte. »Schon wieder hat einer ›in keinster Weise‹ gesagt, ist das nicht grauenhaft?«

»Das sagt doch jeder«, meinte Max und erhielt eine empörte Belehrung, was ihn aber nicht weiter störte. Heute würde er den Wagen des Alten zum Schrotthändler bringen und die Knarre holen, am nächsten Wochenende dafür mit Jenny nach Berlin fahren. Er war sich sicher, dass Mizzi nichts gegen diesen Besuch einzuwenden hatte.

Und so war es dann auch: »Das wird aber auch höchste Eisenbahn, Maxe, ich hatte schon befürchtet, du willst gar nicht wissen, wie deine einzige Schwester lebt und liebt…«

»Apropos Eisenbahn«, sagte Max. »Meinst du, ich soll mit dem Auto kommen?«

Mizzi hielt das für Blödsinn, da man in ihrem Kiez keinen Parkplatz fände.

»Ich bin sehr gespannt auf deine Freundin«, sagte sie, »und verspreche dir, sie nicht zu verführen.«

»Vergiss es«, sagte Max, »wir werden ohnehin ständig auf Tour sein. Sie ist ein Landei und scharf auf die Großstadt.«

»Gut so, dann kommt endlich Schwung in die Bude! Wird Zeit, dass du mal rauskommst aus dem Kaff.«

Das Etui mit der Pistole war schnell gefunden. Max fasste es mit spitzen Fingern an. Als überzeugter Pazifist hatte er einen leichten Ekel vor Schusswaffen, fast wie andere Leute vor Schlangen oder Spinnen. Er würde es dem Großvater ungeöffnet überreichen.

»Deine Eltern brauchen nichts davon zu erfahren«, meinte der Alte. »Ich habe die Walther mein Leben lang vor der Familie geheim halten können, und so soll es auch bleiben.«

Folglich brauchte man ein neues Versteck. Da das Bett täglich von den Pflegerinnen gemacht wurde, war das Kopfkissen keine gute Lösung. Auch die Matratze wurde gelegentlich umgedreht. Max sah sich prüfend um.

»Am besten in einem der Blumenkästen. Seit Mizzi nicht mehr hier wohnt, wächst nur noch Unkraut auf dem Balkon. Ich grabe eine Vertiefung, lege deinen Schatz hinein und streue ein bisschen Erde darüber, dann wird niemand was finden.«

»Aber wenn es regnet?«

Max umwickelte das Etui mit einer Plastiktüte.

Obwohl das Männerspielzeug bestimmt nicht mehr funktionsfähig war, beruhigte ihn die Lagerung außerhalb des Zimmers – schließlich hatte der Alte den Balkon noch nie betreten.

Harald und Petra zeigten sich erfreut, dass Max endlich seine Schwester besuchen wollte. Von Jennys Begleitung ahnten sie nichts. Da es an einem Wochenende sein sollte, bot sich Petra sogar an, den Alten in dieser Zeit zu betreuen. Ihr Mann druckste ein wenig herum.

»Jürgen hat mich gestern zum Angeln eingeladen, er hat eine Hütte im Schwarzwald gekauft, direkt an einem kleinen See. Wenn das Wetter weiter so schön bleibt, wollen wir hinfahren. Tut mir leid, Petra, dass du dann ganz ohne Beistand die Stellung halten musst.«

Insgeheim fand Petra das gar nicht so schlimm. Zum ersten Mal konnte sie ihren Lover nach Hause einladen, wo ein großes Ehebett und nicht bloß ein schmales Sofa stand. Dann wurde endlich ein *Hausfreund* aus ihm. Mit dem Alten würde sie schon fertig.

Leider wurde sie enttäuscht. Am nächsten Mittag wartete sie vergeblich auf ihren *Bürofreund*, er kam nicht, rief aber etwas später an. Am Wochenende sei er verreist, er treffe sich mit ehemaligen Studienkollegen. Sie hätten früher Folkmusik zusammen gemacht, man wolle ein bisschen feiern und Dudelsack, Gitarre und Flöte wieder herauskramen.

Doch da Petra durch und durch eine tatkräftige Frau war, entdeckte sie schnell eine positive Seite an dieser Situation. Neulich war ihr Plan, den Schwiegervater durch einen Sturz ins Jenseits zu befördern, gescheitert. Demnächst aber war ihr der Alte völlig ausgeliefert, abgesehen von der halben Stunde am Morgen und Abend, wenn die Pflegerinnen kamen. Die Stolperdrähte konnten erneut gespannt werden.

Je länger sie allerdings über diese Methode nachdachte, desto weniger gefiel sie ihr. Der Alte konnte die Fäden bemerken und sofort die richtigen Schlüsse ziehen. Nein, es musste hundertprozentig nach einem häuslichen Unfall aussehen, ganz ohne Fallstricke. Und da kam Petra plötzlich das elterliche Treppenhaus in den Sinn, wo gelegentlich ein Schild am Geländer hing: *Vorsicht! Frisch gebohnert!*

Bei Knobels wurde nie gebohnert, in den meisten Zimmern lag Teppichboden. Aber man konnte ja mal einen Versuch wagen und den Flur im oberen Stockwerk zur Schlitterbahn umfunktionieren. Statt ihre Pause einsam und traurig auf der Couch zu verbringen, raffte sich Petra auf, fuhr rasch zum Supermarkt und besorgte alles Nötige fürs Abendessen und außerdem eine große Packung gelbes Bohnerwachs. Natürlich musste am kommenden Freitag der breite Läufer eingerollt werden, damit eine größere spiegelblanke Fläche entstünde.

Wenn die Nachtschwester fertig war, hatte der Alte noch viel Zeit bis zum Einschlafen. Nach einem reichlichen, aber alkoholfreien Abendtrunk würde er vielleicht die Toilette aufsuchen, was ihm neuerdings immer häufiger glückte. Falls er aber im Bett blieb, dann würde sie eben den Läufer morgens wieder ausbreiten und erst nach dem Verschwinden der Pflegerin erneut entfernen. Spätestens dann wanderte der Alte auf seinen Krücken herum und trainierte die Beinmuskeln. Sollte er dabei stürzen, war sie längst in der Buchhandlung. Es gab kein besseres Alibi.

Am Nachmittag trat sie mit bösen Vorsätzen in das Zimmer ihres Schwiegervaters, rümpfte zwar heimlich die Nase über den Qualm, fragte aber freundlich nach seinem Befinden. Guten Tag, meine kleinen Geißlein, eure liebe Mutter ist wieder da, dachte sie und fühlte sich als Wolf.

»*Dea ex machina!*«, sagte der Alte. »Gerade habe ich an dich gedacht, aber nicht mit dir gerechnet. Ich wollte mich nämlich schon lange bei dir bedanken. Und wenn du schon danach fragst – bei euch geht's mir richtig gut. Max kocht leckeres Essen, Elena treibt ihre Späße mit mir. *Panem et circenses* – Brot und Spiele, was will man mehr!«

»Am Wochenende musst du auf Max verzichten«, sagte Petra. »Er will Mizzi in Berlin besuchen, was ich sehr begrüße; wir sind schon jetzt gespannt auf seinen Bericht. Harald will übrigens auch verreisen! Aber wir zwei werden uns schon vertragen, und die Pflegerinnen kommen ja wie gewohnt.«

»Bin ich dann der einzige Mann im Haus?«, fragte der Alte ein wenig zaghaft.

»In Dossenheim warst du das doch auch«, sagte Petra. »Warum auf einmal so ängstlich?«

»Nun, man hat euch schließlich bedroht ...«, murmelte er, und sie ärgerte sich, dass Max den alten Mann offenbar eingeweiht hatte.

Spaßeshalber sagte sie aber: »Unter deinem Protektorat wird es niemand wagen, mich zu überfallen.«

Max war aufgeregt. Zwar war er schon oft nach Australien geflogen, aber eine Bahnreise nach Berlin war Neuland. Auf dem PC erkundete er die optimale Zugverbindung und kaufte am Bahnhof zwei Fahrkarten. Da er nur einen Rucksack mitnahm, konnte er zu Fuß zum Bahnhof laufen und brauchte keinen Dauerparkplatz. Die ganze Expedition war teuer genug. Zum Glück hatte ihm seine Mutter zwei Hunderter zugesteckt, damit er mit Mizzi auch mal essen gehen konnte. Jenny würde erst auf dem Bahnsteig zu ihm stoßen, sie sollte vor der Abreise noch drei Invaliden versorgen.

Schließlich saßen sie glücklich in einem leeren Abteil bis Frankfurt; dort mussten sie in einen ICE umsteigen, und Max war froh, dass er Plätze reserviert hatte. Jenny hatte sich offensichtlich noch schnell umgezogen. Sie trug die langen Haare offen und war etwas zu stark geschminkt. Sie machte sich von einer Hauptstadt wohl falsche Vorstellungen. Soweit er informiert war, kam es in Mizzis Bekanntenkreis nicht auf ein besonders schickes Outfit an.

»Meine Schwester lebt mit ihrer Freundin Jasmin zusammen«, erzählte er. »Mein Vater kann diese Frau nicht ausstehen, deswegen kommt Mizzi nur an Weihnachten zu Besuch.«

Jenny lächelte angespannt. Im Gegensatz zu Max hatte sie kein Reise-, sondern Lampenfieber. Ob sie im Kreis der Studenten bestehen konnte?

Die neue, rot-weiß gestreifte Hemdbluse war zwar ihr bestes Stück, aber in Berlin? Ob sie nicht zu brav oder gar zu spießig aussah? Kurz entschlossen krempelte sie die Ärmel ein Stück hoch.

Max ergriff Jennys kräftige Hände und betrachtete die Tattoos am Unterarm mit den Augen des Verliebten.

»Die solltest du aber behalten«, sagte er.

»Nein«, sagte Jenny entschieden, »genau damit hat er mich reingelegt! Schmetterling und Drachen gefielen mir gut, daraufhin sagte Falko, dass er mir auf dem Rücken noch eine kleine Schwalbe stechen lassen wollte, und ich habe ihm vertraut. Später sah ich im Spiegel, dass das Schwälbchen ein riesiger Falke geworden war.«

Max konnte sich kaum vorstellen, dass man nichts davon mitkriegte, wenn der Rücken großflächig von oben bis unten bearbeitet wurde. Aber vielleicht hatte Falko sie irgendwie abgelenkt.

»Hast du dich etwa deswegen von ihm getrennt?«

»Ach Quatsch, wenn's nur das gewesen wäre! Falko war überhaupt ein Riesenarschloch!«

Auch Harald packte am Freitagnachmittag die Reisetasche mit Waschsachen, seinem karierten Hemd und einem Schlafanzug. Als seine Frau um sechs aus der Buchhandlung kam, fuhr er nach einem flüchtigen Abschiedskuss zügig los. Seit seinem vierzehnten Lebensjahr hatte er nicht mehr geangelt, er freute sich riesig darauf.

Kaum war ihr Mann fort, brachte Petra dem Alten ein Butterbrot und ein großes Glas Apfelschorle, schob sich selbst eine Fertigpizza in den Ofen und setzte sich vor den Fernseher. Eine Stunde später erschien eine fremde Pflegerin, die sich aber anscheinend auskannte. Als sie endlich allein war, begann Petra zu bohnern.

Diese Tätigkeit hatte sie noch nie im Leben ausgeübt. Wo wurden eigentlich noch Dielen gebohnert? Oder waren es eher Parkettböden in Schlössern? Der Läufer war schnell zusammengerollt, das Wachs rasch aufgetragen, aber die nötige Glätte war noch lange nicht erreicht. Da hieß es immer wieder wischen und polieren, bis die Arme lahm und die Knie steif wurden. Am Ende war Petra fix und fertig, streckte sich wohlig in der heißen Badewanne aus und war zufrieden mit sich und ihrem hinterhältigen Werk.

Um zehn lag sie im Bett und dachte an ihren Freund, mit dem sie jetzt eigentlich zusammen sein wollte. Was wohl ihr Mann jetzt machte? Wahrscheinlich hockte er in einer Dorfkneipe, hatte Jägerschnitzel mit brauner Soße im Bauch und trank mit Jürgen ein Bier nach dem anderen. Ihr kleiner Max war wohl mit seiner Schwester unterwegs, wahrscheinlich auch mit Jasmin. Ob ihm das Berliner Nachtleben Spaß machte? Für Diskotheken hatte er noch nie etwas übriggehabt. Mizzi würde ihm sicher jede Menge Mädchen vorstellen. Petra schlief erschöpft ein und träumte von einer Lesbenkneipe, in der sich ihre Große wahrscheinlich meistens herumtrieb.

Petra hatte schon tief und fest geschlummert, als sie von einem ohrenbetäubenden Lärm geweckt wurde. In panischem Schrecken und völlig desorientiert fuhr sie hoch, hörte noch einen grauenhaften Klageschrei, dann herrschte Grabesstille. Unfähig, sich zu rühren, begriff sie endlich, was geschehen war.

Na also, dachte sie zufrieden, gleich in der ersten Nacht hat's geklappt, und sie beschloss, nicht sofort nach dem Rechten zu sehen, sondern sich noch ein bisschen tot zu stellen.

14

Am späten Freitagnachmittag kamen Jenny und Max am Berliner Hauptbahnhof an. Beide staunten über das imposante Gebäude und fragten sich, wo sie wohl abgeholt würden, als Mizzi schon vor ihnen stand. Die Geschwister umarmten sich, Jenny wurde ebenfalls, wenn auch etwas zurückhaltender, in den Arm genommen.

»Hey, Kleiner«, sagte Mizzi. »Und wie war die Reise?«

Beide lachten, denn so hatte ihre Großmutter jeden Besucher begrüßt, auch wenn er kaum fünf Kilometer zurückgelegt hatte.

Jenny betrachtete Mizzi mit gemischten Gefühlen. Eine Bohnenstange, die Psychologie studierte und sicherlich alle Menschen mit Röntgenblick durchschaute. Mizzi schleppte einen schweren Korb, gefüllt mit Cola und Katzenstreu.

»Dit is für meine zwei Lebensjefährten«, sagte sie, und schon ärgerte sich Max. Er hasste es, wenn sie berlinern wollte, weil es bei ihr so künstlich klang.

Erst wollte man mit der U-Bahn nach Friedenau

fahren, das Gepäck nach Hause bringen, später – wenn Jasmin eintraf – beim Thai essen gehen. Jenny wunderte sich über die Wohnung der Studentinnen, die so unordentlich war, wie sie es noch bei keinem Pflegebedürftigen erlebt hatte. Schließlich tauchte Jasmin auf, die Erziehungswissenschaften und Arabistik studierte und ein bunter Vogel zu sein schien. Die Sensation aber war das exotische Essen. Jenny hatte keine Ahnung, was sie bestellen sollte, Mizzi wählte für sie aus. Als serviert wurde, probierte Jenny skeptisch die rote Glasnudelsuppe und bekam einen Hustenanfall.

»Das brennt ja wie Feuer«, sagte sie entsetzt.

Jasmin schien erfreut: »Komm wir tauschen!«, und schob ihr eine Portion Curry-Krabben mit Ei hin, die Jenny auch nicht schmeckten.

Mizzi behauptete, Jasmin habe eine seltsame psychische Störung – sie wolle immer das essen, was andere auf dem Teller hatten. Max mampfte gebratenen Reis mit Hühnerfleisch – Mizzi sprach von *flied lice* – und war damit zufrieden.

»Dein Großvater wurde heute von der Heidi ins Bett gebracht«, flüsterte Jenny. Doch Max mochte jetzt nicht an den Alten denken, er wusste ja, dass seine zuverlässige Mutter ihn versorgte. Morgen wollte man auf die Straße des 17. Juni zum Flohmarkt gehen, wo eine Freundin Omas Nachlass verhökerte. Aber Max freute sich eher auf eine lange Liebesnacht.

Auch Harald ging es nicht schlecht. Mit seinem Freund Jürgen hatte er einen Treffpunkt vereinbart, weil die Hütte nicht leicht zu finden war. Das Wetter blieb beständig, es war zwar noch ein wenig frisch, aber sonnig und klar. Am See saßen sie lange auf einer Bank und blickten tatenlos auf das trübe Wasser.

»Hast du Hunger?«, fragte Jürgen schließlich.

»Schon, aber noch haben wir keinen Fisch an Land gezogen«, meinte Harald. Also machten sie sich auf den Weg. Schließlich landeten sie in einem Edelrestaurant, wo sich Harald im karierten Hemd etwas schäbig vorkam.

»Selbstverständlich bist du mein Gast«, sagte Jürgen. »Eine Hand wäscht die andere!«

»Pst!«, sagte Harald und sah sich verstohlen um, entdeckte aber nur wildfremde Gesichter.

Während ihr Mann im Schwarzwald sowie Max und Mizzi in Berlin schon fest schliefen, war Petra von dem unerhörten Gepolter wieder hellwach geworden. Nach einigen Schrecksekunden setzte sie sich auf, machte Licht, sah auf die Uhr und spähte in den Flur. Dort lag allerdings kein Schwiegervater am Boden. Vorsichtig, um nicht selbst zu stürzen, tappte sie barfuß in den Raum des Alten. Dunkelheit, leises Schnarchen. Auch hier knipste sie den Schalter an und sah verwundert, dass der Alte friedlich im Bett lag. War alles nur ein Traum gewesen?

Als sie etwas verunsichert zurück ins eigene Bett wollte, bemerkte sie die Schlitterspuren in der Diele, die bis zur Treppe führten. Also war der Alte doch ausgeglitten und hatte sich – wie durch ein Wunder – ohne jegliche Hilfe wieder gefangen? Petra mochte es kaum glauben.

Da entdeckte sie einen abgetretenen schwarzen Stiefel auf dem obersten Treppenabsatz. Völlig irritiert ging sie langsam Stufe für Stufe hinunter und erschrak auf halber Höhe fast zu Tode. Unten lag ein wildfremder Mann, der sie mit wütender, schmerzverzerrter Miene anstarrte. Der zweite Stiefel lag neben ihm. Sein linkes Bein war merkwürdig verdreht und seine Socken hatten Löcher.

Ha!, dachte sie, der Erpresser! Er wollte mich entführen oder gar umbringen! Aber anscheinend ist er durch meine Kunst die ganze Treppe hinuntergesegelt und nun kampfunfähig.

»Das geschieht Ihnen recht!«, rief sie triumphierend. »Wer anderen eine Grube gräbt! Ich rufe jetzt die Polizei.«

Aber wie war der Kerl überhaupt hereingekommen, wo sie die Haustür doch von innen abgeriegelt hatte? Petra hatte keine große Lust, über den Verbrecher hinwegzusteigen und das Schloss zu inspizieren. Lieber ging sie wieder hinauf, um den Notruf zu wählen.

»Warten Sie doch«, kam es von unten. »Ich kann alles erklären. Ich bin ein Freund von Max.«

Petra glaubte ihm kein Wort.

»Dann würde ich Sie schließlich kennen«, sagte sie kalt, »außerdem hat mein Sohn keinen Einbrecher zum Freund.«

»Bitte, wecken Sie ihn, fragen Sie Max, er wird es bestätigen«, flehte der Fremde und zitterte am ganzen Körper. Aber Petra hatte kein Mitleid und tat, was sie für richtig hielt. Ein wenig war sie allerdings verunsichert, dass der Verbrecher den Vornamen Ihres Sohnes kannte. Bestimmt hatte er bereits die ganze Familie observiert.

Da Falko in akuter Geldnot steckte, war er auf die Idee gekommen, Max um einen Vorschuss anzugehen. Bis zum Zahltag war zwar eigentlich noch Zeit, aber er konnte ihm dafür ja einen kleinen Nachlass geben. Als Max sich am Telefon nicht meldete, setzte Falko sich kurz entschlossen aufs Motorrad und bretterte tief in der Nacht in die hessische Bergstraßengemeinde zum Haus von Familie Knobel.

Das Auto von Max parkte vor der Tür, er musste also zu Hause sein. Der Mercedes des Vaters war nicht zu sehen, was wohl bedeutete, dass die Eltern verreist waren. Falko versuchte es zuerst an der Garagentür, die jedoch fest verrammelt und von der Straßenseite gut einsehbar war, auch keine offenstehenden Fenster waren auszumachen. Das Schloss der Haustür war zwar mittels passender Werkzeuge schnell geknackt, aber von innen durch einen massiven Riegel versperrt. Bloß der Balkon schien nur durch halbherzig zugezogene Läden gesichert zu sein.

Falko war durchtrainiert und kein Anfänger. Tatsächlich stand die rechte Flügeltür hinter den angelehnten Läden offen, und Falko spazierte ungehindert ins Zimmer. Er ließ die Taschenlampe kurz aufblitzen, sah einen schlafenden Mann im Bett und erschrak ein wenig. Da sich der Alte jedoch nicht muckste, zog Falko bloß die Stiefel aus und schlich durch den dunklen Raum, bis er in den Flur gelangte. Dort orientierte er sich wieder mittels Taschenlampe, um den Weg ins Souterrain zu Max zu finden.

Wie es passiert war, konnte er sich später überhaupt nicht mehr erklären. Anscheinend waren seine Socken nicht rutschfest, denn er glitt nach zwei Schritten aus, schlitterte über die Diele auf die Treppe zu, konnte sich nicht mehr halten, überschlug sich, stieß einen filmreifen Schrei aus und landete auf dem Terrazzoboden im Erdgeschoss.

Eine Weile blieb er völlig benommen unten liegen. Als er versuchte aufzustehen, durchzuckte ihn ein stechender Schmerz. Zwei Stunden später wurde im Krankenhaus festgestellt, dass er zwar nur eine leichte Gehirnerschütterung hatte, aber sowohl das rechte Handgelenk als auch das linke Bein gebrochen hatte.

Bevor die Polizei anrückte, rollte Petra den Läufer wieder aus. Der Streifenwagen kam rasch, und Petra musste nun wohl oder übel den Einbrecher überqueren, um die Haustür zu öffnen. Einer der Beamten fragte den Verletzten nach seinem Namen und erhielt ein Stöhnen zur Antwort.

»Das können wir leicht feststellen«, meinte der Polizist. »Wo ist Ihr Führerschein? Draußen steht Ihr Motorrad.«

Sie durchsuchten seine Taschen, nahmen ihm den Ausweis ab, bestellten einen Krankenwagen, notierten Petras stotternden Bericht und weckten den Alten, weil sie sich ein Bild machen wollten, wie der Dieb hereingekommen war. Dann wurde Falko auf die Trage gelegt.

»So, mein Lieber, dann lassen Sie sich mal verladen«, sagte der Polizist leicht ironisch, »im Augenblick besteht ja keine Fluchtgefahr.«

Als der Verletzte abtransportiert war, sagte Petra: »Es ist wohl gar kein Einbrecher, sondern ein Erpresser. Mein Mann hatte nach einem anonymen Drohbrief bereits Kontakt mit der Kripo aufgenommen.«

»Horst Müller hatte keine Waffe, sondern bloß einen Schlüsselbund und ein paar Dietriche in der Tasche«, sagte der Polizist. »Aus welchem Grund auch immer er eingebrochen ist, Sie hatten großes Glück, dass er Ihnen nichts angetan hat.«

»Er wollte mich womöglich als Geisel mitnehmen«, sagte Petra, und es lief ihr kalt den Rücken hinunter. Schon der Gedanke, gefesselt auf einem Motorrad sitzen zu müssen, war schlimm; diese Typen in ihrer dunklen Lederkluft hatten in ihren Augen nur als Organspender einen praktischen Nutzen.

Als sie endlich wieder allein war und den Alten beruhigt hatte, hätte sie gern ihren Mann angerufen. Aber es war vier Uhr nachts, sie beschloss, sich bis zum nächsten Tag zu gedulden. Auch Max und

Mizzi konnten ihr von Berlin aus nicht beistehen. Im Übrigen war die Gefahr ja vorerst gebannt.

Sie schlief wenig in dieser Nacht. Am Samstag versuchte sie mühsam, das Bohnerwachs zu entfernen. Erneut rutschte sie auf den Knien herum, streute diesmal Scheuerpulver auf die Schlitterbahn, schrubbte mit heißem Wasser und legte am Ende sogar noch einen zusätzlichen Teppich neben den Läufer. Danach machte sie Frühstück für den Alten und wagte es erst um neun Uhr, ihren Mann anzurufen. Der hatte natürlich das Handy ausgeschaltet. Daraufhin versuchte sie es bei ihren Kindern und hatte ebenfalls kein Glück. Na gut, bei denen war ja klar, dass sie bis in die Puppen schliefen. Petra machte sich, völlig übernächtigt, eilig auf den Weg. Samstags kamen immer viele Kunden in ihren Laden, sie musste sich auf die Arbeit konzentrieren und konnte nicht dauernd versuchen, ihren Mann oder ihre Kinder anzurufen. Wirre Gedanken schossen ihr durch den Kopf. Petra glaubte an so etwas wie Schicksal, Fügung oder einen Fingerzeig von oben. Wenn man es genau nahm, hatte ihr der Alte das Leben gerettet. Nur um ihm zu schaden, hatte sie so fleißig gebohnert und stattdessen den eigenen Mörder zur Strecke gebracht. Sie sollte ihrem Schwiegervater eigentlich dankbar sein.

Willy Knobel war ebenfalls außer sich. Was war er doch für ein alter Trottel geworden, dass er gar nicht bemerkt hatte, wie ein Krimineller nachts durch sein Zimmer geschlichen war und seine Schwiegertochter um ein Haar entführt hätte! Und selbst wenn er wach geworden wäre, hätte er nichts ausrichten können. Seine Walther lag im Blumenkasten. Ab jetzt würde er nicht nur das Gehen im Flur üben, sondern seine Runden auch auf den Balkon ausdehnen, denn es wurde täglich wärmer und sonniger. Immerhin war der Eindringling jetzt gefasst. Vielleicht war damit der ganze Spuk beendet, und er machte sich unnötige Sorgen.

Max war befremdet, als seine Mutter anrief und ihm abstruses Zeug erzählte.

»Kennst du einen Horst Müller?«, fragte sie, und er antwortete sofort mit Nein. Wer sollte das auch sein? Müller hießen viele, mit einem Horst hatte er im ganzen Leben noch nichts zu tun gehabt. Nach und nach kapierte er, dass der Erpresser, der seine Mutter bereits telefonisch bedroht hatte, gestern bei ihnen eingebrochen war, auf der Treppe ausgerutscht war und sich das Bein gebrochen hatte.

»Hi, hi, hi«, kicherte seine Mutter.

»Was ist los?«, fragte Mizzi, die mit halbem Ohr zuhörte, »fängt Mama auch noch an zu spinnen?«

»Ich kenne keinen Horst«, sagte Max kopfschüttelnd, als die Mutter aufgelegt hatte. »Mizzi, hast du je von einem Horst Müller gehört?«

Bei diesem Namen sprang Jenny auf und rannte ins Badezimmer. Max registrierte, dass sie leichenblass geworden war.

»Muss sie kotzen?«, fragte Jasmin. »Ist sie etwa schwanger?«

»Quatsch«, sagte Mizzi. Aber Max geriet plötzlich ins Grübeln, denn Müller war zwar ein Allerweltsname, aber er kannte trotzdem nur vier Menschen, die so hießen: Zwei davon waren Frauen, die beiden anderen Kevin und Falko.

In der Notaufnahme des Kreiskrankenhauses hatte man Falko provisorisch versorgt. Nach den Röntgenaufnahmen wurde die Hand eingegipst, das Bein stabilisiert und der Patient mit einer Infusion ins Bett gelegt. Der Unterschenkel war kompliziert gebrochen, die Operation war erst für den kommenden Montag vorgesehen.

Am späten Samstag saß ein Polizist an Falkos Bett, zückte einen Block und sprach von versuchter Erpressung. Also hatte Max seinen Eltern alles gebeichtet, dachte Falko mutlos. Er beschloss, vorläufig den Mund zu halten, beziehungsweise bloß laut zu stöhnen. Ein Anwalt musste her, wenn er nicht wieder im Knast landen wollte.

Aber Kevin sollte möglichst nichts von alldem erfahren. Der Junge schwärmte für Max. Sein Mentor hatte ihm allerhand Blödsinn eingeredet – Kevin wollte Handwerker und ein anständiger Bürger werden. Als ob das so einfach ginge! Auf der Suche nach einer Lehrstelle war er gescheitert, hatte nach fünfzehn Ablehnungen auch die Lust verloren. Nun hatte ihm Falko einen Job als Assistent eines Zuhälters verschafft, da konnte man auch viel lernen.

Dieser Max, dieser Angsthase und Gutmensch! Wie schnell konnte man ihn anzapfen, wie leichtgläubig hatte er auf alle Einschüchterungsversuche reagiert! Falko tat es fast leid, dass er den brutalen Pit Bull auf ihn angesetzt hatte. Immerhin hätte er es nie zugelassen, dass man Max lebensgefährlich verletzte – eine gute Milchkuh sollte man auf keinen Fall schlachten.

Als Harald am späten Samstagnachmittag seine Frau anrief und im einzigen ihm geläufigen Latein mit seinen Angelerfolgen prahlen wollte, wurde er mit Vorwürfen überhäuft. Wieso er wieder mal sein Handy nicht angeschaltet habe – jetzt, wo man ihn wirklich gebraucht hätte. Harald hörte fassungslos zu und bot an, auf der Stelle heimzufahren.

»Den Kerl will ich sehen«, sagte er empört. »Wo wohnt er überhaupt, wie kommt er dazu, mich zu diffamieren und meine Familie zu bedrohen! Hat er einen persönlichen Nachteil, wenn die Tiefgarage gebaut wird? Ist er Bauunternehmer oder Architekt oder so etwas?«

Petra konnte keine dieser Fragen beantworten.

»Er sah ziemlich heruntergekommen aus, wahrscheinlich ist es nicht der Erpresser selbst, sondern ein Auftragskiller ...«, ihr stellten sich die roten Nackenhaare auf. Und wenn er jetzt einen Kollegen vorbeischickte? »Er heißt Horst Müller«, stotterte sie, »mehr weiß ich nicht. Ich schätze ihn auf etwa vierzig. – Du kannst aber ruhig bis morgen bleiben, Näheres wird man sowieso erst am Montag erfahren.«

Harald packte nach einigem Zögern doch seine Siebensachen zusammen und setzte sich hinters Steuer. Die Lust am beschaulichen Angeln war ihm vergangen.

15

Da Jenny schon fast zehn Jahre als Altenpflegerin arbeitete, hatte sie bereits mehrere Todkranke begleitet. Wenn eine enge Beziehung zwischen Krankenschwester und Patient bestanden hatte, fragten die Angehörigen zuweilen, ob sich die Pflegerin ein Erinnerungsstück aussuchen wolle. Natürlich hatten die Erben bereits Sparbücher, Wertpapiere, kostbare Sammlungen, Schmuck und Uhren, vor allem aber Bargeld an sich genommen. Jenny konnte mit dem übrigen Kram absolut nichts anfangen. Wo sollte sie auch die Tassen und Teller, die meistens einen Sprung hatten, die durchgesessenen Sofas, Alpenveilchen, altmodischen Lampen, kitschigen Bilder oder gar großmütterliche Klamotten hintun? Einmal hatte sie aus dem Nachlass eines Jägers einen Handspiegel mit einem Stiel aus Gamshorn bekommen. Verwandte, die es gut mit ihr meinten, überreichten ihr einen Umschlag mit 50 Euro – das war aber auch das höchste der Gefühle.

Sie machte große Augen, als sie auf dem Berliner Flohmarkt den gesamten alten Plunder wiederentdeckte – Dinge, die ihrer Meinung nach in einen Abfallcontainer oder auf den Sperrmüll gehörten. Zu Jennys Verwunderung war Mizzi ganz scharf auf Porzellanbecher mit Katzenporträts und auf Bilderrahmen, an denen der Holzwurm genagt hatte; Jasmin suchte einen Fuchskragen für ihren Trenchcoat. Max wühlte zwar in einem Kasten mit CD, schien aber kein ausgeprägtes Jagdfieber zu entwickeln.

»Komm«, flüsterte Jenny ihm zu. »Mich interessiert das alles nicht. Können wir uns nicht mal einen Moment hinsetzen? Ich muss dringend mit dir reden!«

Sie sahen sich suchend nach einem ruhigen Plätzchen um und versanken am Nachbarstand in einem blumigen Plüschkanapee, aus dem eine Staubwolke aufwirbelte. Der Händler zwinkerte ihnen verschwörerisch zu.

»Mal ebent Händchen halten, wa?«, sagte er.

Max legte seinen Arm um Jenny.

»Du, der Falko heißt in Wirklichkeit Horst Müller«, begann sie und musste ein paar Mal niesen. »Jetzt hat er mich anscheinend ausfindig gemacht. Sicher wollte er rauskriegen, ob ich bei dir übernachte. Es tut mir so leid für deine Mutter!«

»Ach, Jenny, beruhig dich erst mal«, sagte Max. »Es ist alles ganz anders, als du denkst. Ich kenne

Falko doch auch.« Und er erzählte Jenny einen Großteil der peinlichen Geschichte.

Sie hörte erstaunt zu. »Geschieht ihm recht, dass er sich das Bein gebrochen hat«, sagte sie grimmig. »Aber was sollen deine Eltern davon halten? Wissen sie überhaupt Bescheid?«

»Sie halten ihn für einen Erpresser. Mein Vater hat neulich einen anonymen Brief bekommen, meine Mutter wurde telefonisch bedroht. Wahrscheinlich hat Falko aber gar nichts damit zu tun. Irgendwie habe ich Schiss, meinen Eltern alles zu erklären, mein Vater hält mich sowieso für einen Versager. Und er hat ja recht, ich war so blöde.«

»Ich aber auch«, sagte Jenny. Sie war noch nicht am Ende mit ihrem Geständnis: »Damals war ich so was von naiv. Falko wollte mich für seine Zwecke abrichten und verwickelte mich in krumme Sachen. Mich mit einer Jugendstrafe bei der Polizei zu bewerben war dann natürlich aussichtslos. Das hat er mir auch versaut, dieser Dreckskerl!«

»Und was noch?«

»In Heidelberg laufen mindestens zwei Frauen und ein Mann mit einem Falken auf dem Rücken herum. Er plante ein Eros-Center mit dem Namen *Falkenhorst*. Zum Glück landete er vorher im Knast.«

Jenny starrte einem Radfahrer nach, der ein gelbes Windrädchen am Gepäckträger befestigt hatte. »Schau mal, wie lustig!«, sagte sie und wischte sich eine Träne ab.

In diesem Augenblick wurden sie von Mizzi und Jasmin hochgescheucht und zum Brunch in ein Szene-Café eingeladen.

Am Montagmorgen betrachtete Willy Knobel ratlos das Tablett, das ihm Petra in großer Eile hingestellt hatte: Kaffee, eine halbierte Marmeladenschnitte, eine Serviette, ein Teelöffel. Er wusste zwar, dass er mit diesen Gegenständen irgendetwas anfangen sollte, aber es fiel ihm nicht ein, was das sein könnte. Nur seine rechte Hand kroch langsam, aber zielsicher auf die Tasse zu und hob sie ein wenig an. Nach einer ewig langen Schrecksekunde setzte er die Tasse wie erlöst an die Lippen.

War das der Beginn der senilen Demenz oder gar *Morbus Alzheimer*, und er war bald nicht mehr imstande, selbständig zu essen? War es der Abschied von einem Leben als Homo sapiens, der Übergang in einen vegetativen Zustand des vollkommenen Vergessens? Der Alte war verstört und den Tränen nahe; zwar hatte diese grauenhafte Leere nur sehr kurz gedauert und wäre keinem Außenstehenden aufgefallen, aber es war eine unheimliche Bedrohung, die sich da ankündigte. Ich muss mich um das Haus kümmern, so lange ich noch dazu imstande bin, dachte er. Max soll sich für mich mit einem Notar in Verbindung setzen. Zum Glück kam der Junge heute Abend aus Berlin zurück, und in wenigen Minuten konnte er sich über Elenas harmlose Scherze amüsieren und auf andere Gedanken kommen.

»Warum isse italienische Mann kleiner als deutsche?«, fragte ihn die schlitzohrige Elena, und der Alte grinste schon im Voraus.

»Weil seine Mama sagt, du musse arbeite, wenn du mal größer bist!«

Harald ließ sich, wieder zu Hause, von Petra die ganze Räuberpistole zum x-ten Mal berichten. Allerdings sparte sie die Bohneraktion und die Tötungsabsicht aus. Am Montag rief Harald bei Ronald Melf an. Den Kripochef mit der seltsamen Hundeschnauze kannte er seit langem.

»Merkwürdige Geschichte«, sagte Melf. »Dieser Horst Müller ist für uns kein Unbekannter, aber eher ein unbelehrbarer, notorischer Kleinkrimineller. Meistens wurde er wegen Eigentumsdelikten, einmal wegen Beihilfe zur Geldfälschung verurteilt; als Erpresser hat er sich noch nie versucht. Außerdem hätte er wirklich kein Motiv, den Bau der hiesigen Tiefgarage zu boykottieren – er wohnt schließlich in Rohrbach. Leider haben wir bisher nicht ermitteln können, in wessen Auftrag er eventuell gehandelt hat. Heute wird der Kerl operiert, da müssen wir ihn in Ruhe lassen, morgen wahrscheinlich auch.«

»Das hilft mir nicht weiter«, seufzte Harald.

»Ich gehe eigentlich davon aus, dass es sich um einen stinknormalen Einbruchsversuch handelt«, meinte der Kommissar. »Gelegenheit macht bekanntlich Diebe. Wie es der Zufall will, entdeckt Horst Müller eine offene Balkontür und erkennt als Profi sofort, wie einfach man da hinaufklettern kann.«

Damit musste sich Harald zufriedengeben, aber es wäre ihm lieber gewesen, wenn man den Erpresser geschnappt hätte. Vom Büro aus rief er schließlich Petra im Buchladen an und beruhigte sie ein wenig. »Ronald wird sich persönlich der Sache annehmen«, behauptete er etwas großspurig.

Petra hatte schon vielen Kunden die Geschichte vom verunglückten Eindringling erzählt und schmückte sie jedes Mal ein bisschen mehr aus. Ganz allein, nur mit einem siechen Opa im Haus, hatte sie ein gefährliches Abenteuer glorreich überstanden, nämlich einen Mörder mit einem gezielten Tritt die Treppe hinunterbefördert und zur Strecke gebracht. Die Heldin konnte es kaum erwarten, ihrem Lover das nächtliche Erlebnis zu schildern. Wäre er bei ihr gewesen, hätte er Mut und Stärke beweisen können – aber er hatte es ja vorgezogen, in München auf der Gitarre zu schrammeln.

Max kam am Montag spät und müde aus Berlin zurück. Natürlich wollten seine Eltern sofort alles über Mizzi wissen, über ihre Diplomarbeit, den Zustand der WG, über Jasmins Kleidung und ob Mizzi gekocht habe. Max hatte zu wenig geschlafen und war eher wortkarg. Falkos Einbruch lag ihm auf der Seele. Wann war der richtige Moment, die Eltern über seine Bekanntschaft mit einem Kriminellen zu informieren? Er verschob alles Unangenehme auf den nächsten Tag und ging zeitig ins Bett.

Am Dienstag musste er früh raus, um den Opa zu versorgen. Es fiel ihm schwer, zumal auch der Alte einen munteren Bericht erwartete. Etwa um elf Uhr – die Eltern und auch Elena waren längst aus dem Haus – klingelte das Telefon. Genervt nahm Max ab, bestimmt wollte ihm seine Mutter eine ellenlange Einkaufsliste diktieren.

»Hör gut zu, ich habe wenig Zeit«, sagte Falko. »Ich bin wohl nicht lange allein im Zimmer. Was hast du der Polizei gesagt?«

»Nichts, denn sie haben mich gar nicht gefragt«, sagte Max, »schließlich bin ich erst gestern aus Berlin zurückgekommen.«

»Wieso reden die dann von Erpressung?«

»Keine Ahnung.«

»Dann müssen es deine Eltern behauptet haben. Was wissen die überhaupt über mich?«

»Bis jetzt auch sie noch nichts, aber demnächst ...«

Falko stöhnte. »Gestern haben sie mich zusammengeflickt. Ich habe teuflische Schmerzen, diese Scheißmittelchen wirken ja kaum. Versuch mal, nur mit der linken Hand das Handy zu bedienen! – Du musst deinen Eltern sagen, dass wir befreundet sind und ich dich besuchen wollte ...«

»Von Freundschaft konnte noch nie die Rede sein«, sagte Max.

»Nenn es, wie du willst, aber tu gefälligst, was ich dir sage! Ist doch wohl klar, dass man eine Wiedergutmachung erwartet.«

»Das waren gestohlene Uhren – nagelneue mit Preisschildchen – und kein Erbe!«

»Wie kannst du so was behaupten, meine Großmutter hatte einen Uhrenladen!«

»Falko, es reicht. Falls du mir je wieder mit deiner Oma kommst, mache ich dich zum Horst! Und die Kohle kannst du dir ein für allemal aus dem Kopf schlagen«, sagte Max, der allen Mut zusammengenommen hatte.

Das hatte gesessen. Falko hatte nicht gewusst, dass Max seinen wahren Namen kannte. Und zum Affen machen lassen wollte er sich schon gar nicht. Mit schneidender Stimme setzte er erneut an: »Wenn du das so siehst, kann ich auch anders. Erinnerst du dich noch an Pit Bull? Ich werde ihn…«

Und damit endete das Gespräch, anscheinend war jemand hereingekommen.

Bis auf ein wichtiges Detail hatte Max seiner Liebsten alles gestanden. Der Knackpunkt war ja leider, dass er selbst keine reine Weste hatte. Falls er vor den Eltern und dem von seinem Papa so geschätzten Herrn Melf eine Beichte ablegen würde, dann müsste er wohl zugeben, dass er sich Falko mit dem Geld seines Großvaters vom Leib gehalten hatte – aus Angst vor roher Gewalt, vor der er sich auch jetzt wieder fürchtete. Konnte ihn die Polizei vor Pit Bull und seinesgleichen überhaupt schützen?

Auf jeden Fall würden es seine Eltern nicht nur als Vertrauensbruch, sondern auch als gemeinen Diebstahl ansehen, dass sich Max am Dossenheimer Tresor bedient hatte. Und falls sie es dem Großvater steckten, war es aus und vorbei mit dessen großzügigen Zuwendungen. Wahrscheinlich würden ihn die Eltern rausschmeißen. Das Schicksal seines Vaters würde sich wiederholen – Max musste dann sehen, wie er ohne einen Cent klarkam.

Doch noch etwas anderes beschäftigte ihn: War Jenny nun seine feste Freundin? Nach wie vor wollte sie nicht, dass seine Eltern oder gar ihre Chefin von dem, was zwischen ihnen lief, etwas mitbekamen. Auch seine Schwester musste Jenny versprechen dichtzuhalten. Zum Glück lebte Mizzi weit weg von der Familie und konnte schweigen.

Ob er dem Großvater erzählen sollte, dass er mit Jenny in Berlin war? Der Alte hätte zwar wohl Verständnis dafür, könnte sich aber womöglich ein paar pikante Bemerkungen nicht verkneifen, zum Beispiel seiner Favoritin Elena gegenüber. Und das wäre für Jenny unangenehm.

Außerdem hätte er gern gewusst, wann und wie lange Jenny mit Falko zusammen war, und ob der Kerl noch irgendwelche Rechte hatte. Falko war schließlich verheiratet gewesen und hatte einen Sohn – hatte sie davon gewusst? Wenn Max bloß daran dachte, dass dieser Schuft die blutjunge Jenny zur Prostitution zwingen wollte, stieg blanker Hass in ihm auf. Für eine Tat, an der bestimmt Falko schuld war, hatte man ihr eine Jugendstrafe aufgebrummt. Hoffentlich hatte es nichts mit dem geplanten *Falkenhorst* zu tun.

Während Max in Boxershorts auf der Bettkante saß, bearbeitete er gedankenverloren seinen spärlich behaarten Oberschenkel mit einem blauen Filzstift. Ein wildes Tattoo im Graffiti-Stil entstand: eine Fledermaus, Kometen, Pusteblumen, Pfeile und Ufos – kunstvoll ineinander verwoben, wie er sie als gelangweilter Schüler in sein Matheheft gezeichnet hatte. Warum sollte er eigentlich nicht Tätowierer werden? Der Falke auf Jennys Rücken war so dürftig und plump geraten, dass er ihn dreimal besser hingekriegt hätte. Wahrscheinlich verdiente man damit mehr als ein Altenpfleger.

Wie dachte Jenny wohl über ihn? Fand sie es in Ordnung, dass ihm seine Eltern alles bezahlten und er anscheinend genug Taschengeld bekam, um einem Horst Müller das Maul zu stopfen? Max hatte zugegeben, dass Falko vier Hunderter im Monat von ihm verlangte – betrachtete es Jenny als normal, dass er diese Summe problemlos hinblättern konnte? Hielt sie ihn für faul und feige? Immerhin kümmerte er sich ja um seinen Großvater, und niemand wusste besser als Jenny, wie aufreibend Pflege sein konnte.

Unterdessen äußerte der Alte immer neue Wünsche. Nun sollte ihm Max das große Ölbild aus dem Dossenheimer Haus herschaffen und einen grüngestrichenen Gartenstuhl für den Balkon. Es war überhaupt erstaunlich, welchen Einfluss der Frühling auf seinen Großvater hatte: Er wurde zunehmend mobiler und hatte heute sogar auf dem Balkon eine halbe Zigarre im Stehen geraucht. Seit er sich häufiger von der Stelle bewegte, waren seine Hände und Füße besser durchblutet und angenehm warm. Neu war auch, dass er einen Tulpenstrauß orderte, und zwar nicht einfach weiße oder gelbe Blumen, sondern korallenrote. Ein weiteres Ansinnen des Alten war der Kauf eines teuren Rasierwassers, das man in der Fernsehwerbung als besonders männlich angepriesen hatte.

Es roch im Zimmer des Großvaters nicht mehr nach nassem Hund, sondern nach Parfüm, würzigem Tabak und einem feinen Blütenduft, der aus den umliegenden Gärten durch die offene Balkontür zog. Im Radio hörte der Opa jetzt nicht mehr nur die Nachrichten, sondern suchte auch nach Liedern.

»Das ist aus dem *Freischütz*«, sagte er. »Kennst du diese Arie?«

Max nickte freundlich, obwohl er keine Ahnung hatte. »Italienisch, nicht wahr?«, fragte er, denn damit lag man meistens richtig. Der Alte schüttelte bekümmert den Kopf.

»Was lernt ihr heute eigentlich in der Schule? Kein Latein, keine Grammatik, keine deutsche Oper aus der Romantik. Junge, du hast reichlich Bildungslücken. *Vita brevis, ars longa!* Das Leben ist kurz, aber die Kunst ist langlebig…«

Was redet er da, dachte Max, neunzig Jahre sind doch nicht kurz.

16

Der Mai war in diesem Jahr strahlend schön. Auf die Krücken gestützt, stand der Alte auf dem Balkon, atmete die Luft ein, die sich zwischen Kälte und Wärme noch nicht ganz entschieden hatte, und überlegte, ob er sich das Rauchen abgewöhnen sollte.

Als er sich vor gut drei Monaten das Bein gebrochen hatte, war er überzeugt davon, dass eine solche Katastrophe das Ende für ihn bedeutete. Aber wider Erwarten hatte er die OP überstanden und schließlich auch die schrecklichen Tage im Krankenhaus, an die er sich nur vage erinnerte. Mit fast neunzig Jahren kann nichts mehr ausheilen, es geht jetzt zügig bergab, hatte er gedacht. War ein Wunder geschehen? Er beschloss, das Schicksal nicht herauszufordern und nur noch eine halbe Zigarre pro Tag zu rauchen, auch um Max und Jenny ein Vorbild zu sein.

Eigentlich war er sehr stolz darauf, dass er sich dank seiner Gehhilfen im gesamten oberen Stockwerk fortbewegen konnte. Um den Hals trug er meistens einen schwarzen Stoffbeutel mit dem Lo-

go von Petras Bücherstube, worin er Brille, gold-
braune Kubazigarren samt Cutter, Streichhölzer
aus Zedernholz, Taschentücher und andere Uten-
silien aufbewahrte. Bedauerlich war nur, dass er
auf die voluminösen Windelhosen noch nicht ganz
verzichten konnte, obwohl er beharrlich versuchte, ohne Begleitung auf die Toilette zu gehen. In
diesem Fall kam der Rollator zum Einsatz, und
gelegentlich klappte es tatsächlich. Zum Glück hatten seine neuen Hosen weder Knöpfe noch Reiß-
verschlüsse, so dass er sie ohne umständliche Fum-
melei herunterziehen konnte. Überhaupt erwiesen
sich diese Fleece-Anzüge, die er anfangs verachtet
hatte, als warm, praktisch und wohl auch pflegeleicht, denn sie mussten häufig gewaschen werden.
Fast bei jedem Essen kleckerte er, auch wenn man
ihm eine Serviette in den Ausschnitt steckte. Gott
sei Dank durfte er jetzt nachts wieder seine alten
Schlafanzüge tragen; den pflaumenblauen hatte
ihm Ilse zum siebzigsten Geburtstag geschenkt.

Gestern hatte Elena ihre kleine Enkelin dabei,
denn ihre Tochter brachte gerade ihr zweites Kind
zur Welt. Die Wehen hatten früher als erwartet
eingesetzt, und im Kindergarten wurde gestreikt.
Elena entschuldigte sich tausendmal und bat den
Alten, ihrer Chefin nichts zu verraten.

»Wie heißt du?«, fragte das Kind.

»Willy Knobel«, antwortete er amüsiert, aber Elena schüttelte den Kopf.

»Nonno«, verbesserte sie.

Ob die Kleine besser Deutsch oder Italienisch spreche, wollte er wissen, und hörte mit Respekt, dass die Dreijährige beide Sprachen beherrschte.

Den ganzen Tag über hatte er an die niedliche Giulia in ihrem rosa Rüschenkleid gedacht, die brav mit der Fernbedienung gespielt hatte, als ihre Nonna mit ihm im Badezimmer verschwunden war. Wie zutraulich und harmlos ein kleiner Mensch noch war und wie lernbegierig! Er wollte sich ein Beispiel an dieser vorurteilsfreien Offenheit nehmen und ein besserer Mensch werden. Seine Familie hatte ihm verziehen, dass er früher ein so strenger und unnahbarer Patriarch gewesen war, was er heute bereute.

Selbst Harald hatte seinen Vater aufgenommen und ihm sogar einen Cognac angeboten. Seine Schwiegertochter Petra war auf eine diskrete Art fürsorglich. Neulich entdeckte er einen weiteren Teppich im Flur, den sie wohl nur seinetwegen hingelegt hatte, damit er nicht wieder ausrutschte. Und Max – man konnte ihn gar nicht genug loben. Womit hatte er einen so prächtigen Enkel verdient!

Der Alte warf die angerauchte Zigarre in den Vorgarten und freute sich darauf, dass es bald Mittagessen gab. Er nahm jetzt nur noch Frühstück und Abendbrot im Bett ein, die warme Hauptmahlzeit meistens im Sessel vor dem Fernseher, demnächst vielleicht hier auf dem Balkon.

Langsam wandte er sich dem Blumenkasten zu, lehnte die Krücken an die Hauswand und sich selbst ans Balkongeländer, scharrte wie eine Katze in lockerer Erde, stieß auch gleich auf die Plastikfolie und zog den Kasten heraus. Vorsichtig ließ er sich auf den hohen grünen Gartenstuhl gleiten, wickelte das Paket aus, öffnete das Etui, besah sich seine alte Armeepistole und stellte zufrieden fest, dass noch ein volles Magazin mit Munition vorhanden war. Rostig schien die Waffe nicht zu sein. Es zahlte sich aus, dass er sie jahrzehntelang trocken und sicher verwahrt hatte. Allerdings hatte er die Walther seit langem nicht mehr gereinigt und geschmiert, aber das konnte er ja in einer stillen Stunde nachholen. Im Schlafzimmer von Harald und Petra standen eine Nähmaschine und auch ein Fläschchen Weißöl, das man bestimmt zur Pflege der Pistole verwenden konnte. Beim nächsten Einbrecher würde er beweisen, dass auf einen alten Landser Verlass war. Natürlich würde er bloß in die Luft schießen, um den Kerl zu vertreiben, und nur im Notfall auf die Beine zielen. Doch ob er überhaupt noch dazu in der Lage war?

Als er Max kommen hörte, stopfte er die Waffe hastig in den Beutel, zog sich am Geländer hoch und versenkte den leeren Kasten wieder im Versteck. Später würde er Erde darüberstreuen.

»Na, Opa«, sagte Max und setzte das Tablett ab, »ist es draußen nicht zu kühl? Hast du Hunger? Es gibt Milchreis mit Kirschkompott. Und hinterher willst du sicher noch eine rauchen.«

»Rauchen habe ich mir abgewöhnt«, sagte der Alte und machte sich über die warme Pampe her.

Zu Beginn jeder neuen Woche inspizierte Harald seinen Terminkalender. Zu seiner Verwunderung stand am kommenden Samstag, an dem er in der Regel keine beruflichen Verpflichtungen wahrnahm, in der steilen Schrift seiner Sekretärin: HOCHZEITSTAG.

Ach ja, vor zwei Jahren hatte er dieses wichtige Datum einfach vergessen, und Petra war stinksauer. Um es ihm heimzuzahlen, hatte sie letztes Mal den Hochzeitstag demonstrativ ignoriert. Nach diesem Desaster hatte Haralds Mitarbeiterin versprechen müssen, ihn in Zukunft frühzeitig daran zu erinnern. Diplom-Ingenieur Harald Knobel rechnete mit den Fingern nach und stellte erstaunt fest, dass seine standesamtliche Trauung genau vor fünfundzwanzig Jahren stattgefunden hatte. Er rief die Sekretärin herein und klopfte mit dem Kugelschreiber auf den Kalender.

»Es war sehr aufmerksam, dass Sie diesen Termin eingetragen haben«, sagte er, »denn es handelt sich um unsere Silberhochzeit. Meinen Sie, dass ein Strauß mit fünfundzwanzig roten Rosen genügt?«

Sie überlegte. »Eigentlich müsste man ein schönes Fest feiern, Freunde und Familienangehörige einladen!«

»Um Gottes willen, dadurch hätte Petra ja nichts als Arbeit! Außerdem sind es nur noch sechs Tage – viel zu spät für die Vorbereitungen. Auf jeden Fall will ich ihr aber eine Freude machen. Wozu raten Sie?«

»Was für Hobbys hat Ihre Frau denn?«

»Sie ist eigentlich eine Leseratte, aber seit sie ihren eigenen Buchladen besitzt, klagt sie unentwegt über Zeitmangel. Sie kommt kaum dazu, die wichtigsten Neuerscheinungen anzulesen. In ihrer Mittagspause schläft sie meistens vor Erschöpfung ein.«

»Hm, Bücher hat sie also genug, da muss man was anderes finden.«

»Das bringt mich auf eine Idee! Ein Freund von mir hat eine kleine Hütte am See, wo man wunderbar angeln kann. Dort könnte sie ein ganzes Wochenende in aller Ruhe schmökern.«

»Und Ihren gesamten Fischfang ausnehmen und

braten«, sagte die Sekretärin. »An der Stelle Ihrer Frau würde mir das stinken.«

»Es gibt dort hauptsächlich Zander«, sagte Harald, »aber ich mag den auch nicht gern ausnehmen.«

Beide grübelten.

»Ein kuscheliges Wellness-Wochenende kommt immer gut an«, schlug die Sekretärin vor. »Ich schaue mal im Internet, was es hier in der Nähe so gibt. Mir schwebt ein Verwöhnpaket vor: Aromaöl-Massagen, Aquajogging, Sauna, Gesichtspackungen und abends ein super Fünf-Gänge-Menü.«

»Wenn Sie meinen«, sagte Harald gedehnt, denn vor solchen Hotels graute ihm. »Sie können ja für alle Fälle mal ein bisschen recherchieren.«

Zu Hause fragte er allen Ernstes seinen Sohn um Rat.

»Wirklich, Papa? Ein ayurvedisches Weekend in einem Romantikhotel? Soll es eine Überraschung werden?«, fragte er ungläubig. »Mama muss schließlich ein Köfferchen mit ihren Kleidern, Kosmetika und eventuell einem Badeanzug mitnehmen. Wenn dieser Schuppen stinkfein ist, muss sie das vorher wissen ...«

»Da hast du recht«, meinte Harald. »Ich werde ihre Sachen einfach selbst einpacken, du kannst mir ja dabei helfen.«

»Mama würde sicher auch gern mal wieder in ein Jazz-Konzert oder ins Theater gehen. Oder auf eine Gartenschau.«

»Nicht alles auf einmal, man sollte noch etwas für die Goldene Hochzeit aufheben«, knurrte Harald. »Ich glaube, das Wellness-Hotel ist absolut originell und nicht zu toppen.«

»Ich würde ja mitkommen«, sagte Max mitfühlend, »aber ich habe Pflichten. Dabei fällt mir ein, Opa hat sich heute das Rauchen abgewöhnt.«

»Das wird deine Mutter mehr begeistern als zehn Dampfbäder in Hamm!«

»Die türkischen Bäder heißen Hamam, Papa!«

Max freute sich auf die elternlosen Tage, denn das war eine einmalige Gelegenheit, um Jenny für zwei Nächte einzuschleusen – vielleicht sogar ins Doppelbett. Er hatte sie noch gar nicht gefragt, wann sie Dienst hatte.

Auch Petra machte sich Gedanken. Letztes Jahr hatte sie ihren Mann am Hochzeitstag etwas brüskiert, das musste diesmal wieder ausgewetzt werden – schließlich gab es eine besondere Zahl zu feiern. Auch sie fragte Max um seine Meinung.

»Vielleicht hat Papa irgendwelche Pläne«, nuschelte er, und seine Mutter spitzte die Ohren.

»Eine Kreuzfahrt?«, fragte sie.

Max schüttelte den Kopf.

»Man sollte nicht gleich nach den Sternen greifen«, sagte er und verdrückte sich.

Die Vorbereitungen für das Wochenende kamen langsam in Gang. Jenny versprach sofort, die beiden Nächte im Hause Knobel zu verbringen: vom frühen Abend an – wenn der Alte im Bett lag – bis zum späten Frühstück.

Petra begann schon einmal, ihren Kulturbeutel zu füllen, denn das war das Wichtigste für jede Reise. Dann begab sie sich persönlich ins Zimmer ihres Schwiegervaters.

»Am Freitag fahren Harald und ich irgendwo hin«, sagte sie stolz. »Er wollte mir auf keinen Fall verraten, was er vorhat. Es gibt auch einen besonderen Anlass, unsere Silberhochzeit.«

»Tatsächlich? Darauf müssen wir einen trinken«, sagte der Alte. »Ohne mich gäbe es nämlich keinen Harald.«

Petra rief lachend nach ihrem Mann. Er solle mit Flasche und Schwenkern bei seinem Vater antanzen, aber er mochte seit einiger Zeit keinen Cognac mehr. Also trank sie mit dem Alten ein Gläschen und noch ein zweites, bevor sie sich wieder zu ihrem Mann ins Wohnzimmer gesellte. Ihr Schwiegervater dachte an die eigene Silberhochzeit und wurde sentimental, am Schluss sogar leicht verwirrt. Als Max ihm eine gute Nacht wünschen wollte, wurde er mit »Ilse« angeredet.

»Was soll das Öl auf deinem Nachttisch?«, fragte Max.

»Lass es bitte stehen, morgen werde ich deine Nähmaschine wieder flottmachen«, sagte der Alte, und sein Enkel grinste.

»Dann werde ich dir endlich ein geblümtes Nachthemd nähen, Willy«, sagte Max. Sekundenlang überlegte er, ob er das dünnflüssige Maschinenöl nicht lieber wegnehmen sollte, damit der Opa nicht am Ende eine Sauerei im Bett anrichtete. Aber er witterte keine nennenswerte Gefahr, und das war ein Fehler. Stattdessen trug er nur den Aschenbecher weg, der jetzt nicht mehr benötigt wurde.

Haralds Sekretärin hatte ein Hotel in Baden-Baden gebucht, denn er hatte ihr freie Hand gelassen. Die vielen Angebote hatten ihn völlig verwirrt, eigentlich hatte er nur *Aromatherapie* behalten und den Satz *Hier wird Ihre Seele zum Lächeln gebracht.* Sicherheitshalber suchte er nach seinem Trainingsanzug. Irgendwann fiel ihm ein, dass er neulich seinen Vater in einem Polyester-Sportanzug, der ihm bekannt vorkam, auf dem Flur getroffen hatte. Es schien fast, als stünde er seiner eigenen Karikatur gegenüber – groß, aber gekrümmt wie ein Haken, glatzköpfig und mit tropfender Nase. Hatte Max sich etwa an den Sachen seines Vaters vergriffen, um den Großvater damit auszustatten? Eher würde er sich einen neuen Sportdress kaufen, als ihn vom Alten zurückzufordern; nicht etwa aus Großzügigkeit, sondern aus Ekel.

Max rief in Berlin an und fragte Mizzi, ob man den Eltern zur Silberhochzeit etwas schenken müsse.

»Spinnste, Kleener? Det ist doch nich unser Bier«, sagte sie, »außerdem hamse uns jar nich einjeladen.«

Seit Max über ihr bemühtes Berlinern gemosert hatte, tat sie es erst recht und immer penetranter.

»Wie hat dir Jenny eigentlich gefallen?«, fragte Max und wollte für seinen guten Geschmack gelobt werden.

»Ick fahr nich total uff ihr ab. Hauptsache, dir jefällt se«, sagte seine Schwester schnippisch, und Max war beleidigt.

Am Freitag hatte der Alte in aller Frühe den Beutel mit der Pistole sowie das Nähmaschinenöl hinter einem Fensterladen versteckt. Erst als er ganz allein im Haus war, holte er alles wieder hervor. Elena hatte ihm bereits beim Waschen und Anziehen geholfen und wurde erst am nächsten Tag wieder erwartet, Harald und Petra arbeiteten noch bis um eins, um dann nach Baden-Baden zu fahren, Max kaufte für das Wochenende ein.

Es wurde jetzt täglich sonniger und wärmer, die Glyzinien blühten am Geländer, und in den Nachbargärten setzten die Kirschbäume kleine Früchte an. Willy Knobel saß vor offener Balkontür in seinem Sessel und hatte sich eine Serviette auf den Schoß gelegt. Die Walther hatte er vorsichtig auseinandergenommen. Er bearbeitete sie nun mit Öl und einem Taschentuch. Endlich hatte er etwas Sinnvolles zu tun, außerdem machte ihm das knifflige Putzen, Reiben und Wischen richtig Spaß. Früher konnte er nie verstehen, dass Ilse so gern Silber polierte, doch auf einmal ging ihm auf, wie befriedigend solch einfache Tätigkeiten sein konnten. Nach einer Stunde war das Werk vollendet, und er hätte gern mal einen Probeschuss abgegeben.

Als Willy Knobel mit geladener Waffe auf den Balkon trat, sah er rasch ein, dass es zu gefährlich war, Schüsse ins Blaue abzugeben. Er registrierte einen Radfahrer, dann zwei bummelnde Schüler und schließlich eine Frau mit Hund auf der Straße. Auch wenn er bloß in die Luft schießen würde, konnte man doch auf ihn aufmerksam werden. Gerade als er wieder ins Zimmer treten wollte, holperte unter ihm ein Auto über die Bordsteinkante. Max parkte, stieg aus und nahm zwei schwere Einkaufstüten aus dem Kofferraum. Schleunigst steckte der Alte die Waffe wieder weg.

Es war inzwischen kurz vor zwölf, Max würde sich jetzt ans Kochen machen. Was er diesmal wohl Leckeres für seinen Großvater plante?

Max hatte für die nächsten Tage tiefgefrorene Raviolini in Tomatensauce, Linsen mit Speck sowie Bohnen mit Rindfleisch gekauft. Jenny hingegen wollte er keine Fertiggerichte auftischen. Für ihr gemeinsames Abendmahl hatte er nach langem Abwägen Jakobsmuscheln mit Basmati-Reis an einer Safran-Sahne-Sauce geplant, Feldsalat als Vorspeise und Nougateis als Dessert; das Internet-Rezept eines Sternekochs lag ausgedruckt bereit. Das einzige Problem war der Wein, bei dem er sich nicht auskannte. Aber sein Vater hatte bestimmt kein schlechtes Sortiment im Keller.

Und so kam es, dass jeder im Hause Knobel einen Grund zur Vorfreude hatte.

17

Nach so viel freudiger Erwartung gab es bei drei Familienmitgliedern leider eine kleine Enttäuschung. Petra wurde von ihrem Mann zwar damit überrascht, dass er bereits alles eingepackt und im Auto verstaut hatte, doch als sie später im feinen Baden-Badener Hotel ihre Kleider aufhängen wollte, war der Koffer randvoll mit Sachen, die sie nicht mehr mochte. Der uralte Badeanzug Größe 38 war längst zu eng, dabei besaß sie einen neuen, besonders schicken. Das Abendkleid aus den Neunzigerjahren hatte sie eigentlich nur aufgehoben, weil sich Mizzi aus dem Brokatstoff ein Sofakissen nähen wollte. Nun, sie würde eine festliche Robe sowieso nicht brauchen, denn es ging hier eher sportlich als fürstlich zu. Harald hatte zwar an Unterwäsche gedacht, aber ihr Nachthemd vergessen, was Petra zu dem Entschluss brachte, den kommenden Samstag für einen ausgiebigen Einkaufsbummel zu nutzen.

Ihr Mann hatte dagegen von seiner Frau etwas mehr Dankbarkeit oder gar Begeisterung erwartet. Schließlich saßen sie lustlos nebeneinander auf dem riesigen Hotelbett und studierten die Wellness-Angebote.

»Ich wusste gar nicht, dass du auf so was stehst«, sagte Petra, und Harald zuckte hilflos mit den Schultern. Das war wohl ein Griff ins Klo, dachte er, hielt aber lieber den Mund.

Doch beim Essen waren sie sich endlich einig. Sie kannten sich lange genug, um zu wissen, was sie bestellen wollten: Es war Mai, da musste es Spargel sein.

Max hatte sich ebenfalls größte Mühe gegeben, um Jenny mit einem exquisiten Diner zu verwöhnen. Erstaunlicherweise war ihm das Essen nahezu perfekt gelungen, er probierte wieder und wieder und gab jedes Mal ein begeistertes »Mjam! mjam!« von sich. Schließlich stellte er Kerzen auf den Esstisch und suchte sogar die roten Weihnachtsservietten aus Damast heraus.

Jenny aß den Salat mit gutem Appetit. Als ihr Max beim Hauptgang aber die gelbe Sauce über den Reis geben wollte, bremste sie seine Hand so abrupt ab, dass es auf die Tischdecke tropfte.

»Curry? Chili? Wieder so was Scharfes wie in Berlin?«

Sie kannte weder Safran noch Jakobsmuscheln und ekelte sich vor beidem. Also schlug sich Max den Bauch voll, während Jenny nur einen Löffel Reis mit zwei Tropfen Ketchup zu sich nahm. Es war ein Jammer.

»Was der Bauer nicht kennt, das frisst er nicht«, sagte sie tröstend. »Ich hatte fest mit Spargel gerechnet.«

Max wusste nicht genau, ob sie damit der Leidenschaft nachhelfen wollte. Er jedenfalls war so vollgefressen, dass er nur noch einen Wunsch hatte: sich hinlegen und schlafen. Jenny sorgte zwar dafür, dass daraus nichts wurde, aber das Ergebnis war kein Ruhmesblatt für den müden Max.

Die Eltern wiederum hatten von einem badischen Spitzenwein nicht genug bekommen können, so dass ihre Nacht sich überhaupt nicht durch Leidenschaft auszeichnete: Harald schnarchte, und Petra redete im Traum. Mehrmals fühlte sie sich durch das sägende Geräusch so gestört, dass sie ihn heftig anstieß, das nächste Mal wiederum wurde er durch das unaufhörliche Gebrabbel seiner Frau geweckt. Offenbar hatte sie einen sehr intensiven Traum, und Harald begann, sich für die Bedeutung ihrer Worte zu interessieren. Immer wieder verstand er den Namen Jupiter.

Der Samstag begann für Max voll schöner Hoffnungen. Er hatte schon am frühen Morgen frische

Brötchen fürs Frühstück sowie Spargel, Schinken und neue Kartoffeln fürs Abendessen besorgt. Erst danach brachte er seinem Großvater das Tablett mit Kaffee und der üblichen Marmeladenschnitte. Der Alte war guter Laune, hatte gesunden Appetit und fragte, ob Harald und Petra sich bereits gemeldet hätten.

»Damit ist eigentlich nicht zu rechnen, Opa«, sagte Max. »Bis Baden-Baden ist es schließlich keine Weltreise. Sonntagabend sind sie ja leider wieder hier.«

»Ich dachte fast, sie wären schon zurück«, sagte der Alte. »Mir war so, als hätte ich eine Frauenstimme gehört.«

Dann hat er eigentlich noch Ohren wie ein Luchs, dachte Max, denn Jenny war nicht sonderlich laut gewesen.

»Die Stimme kam wahrscheinlich aus dem Radio oder dem Fernseher«, sagte Max.

»Apropos Fernsehen«, meinte der Alte, »kannst du mal nachsehen, in welchem Programm die Sendung *Schwule Fische Teil zwei* kommt?«

Max schaute nach und konnte absolut nichts Vergleichbares finden. Aber am Ende entdeckte er doch noch: *Schule der Fische an der Küste von New Jersey.*

Als Jenny wach wurde, auf die Toilette musste und leicht bekleidet über den Flur huschte, lief sie Elena direkt in die Arme, die das Bad aufgeräumt hatte. Beide waren peinlich berührt, aber die Italienerin war nett genug, keine frechen Bemerkungen zu machen. Max erwartete Jenny mit einem gedeckten Tisch, frischgepresstem Orangensaft und Rühreiern. Doch seine Geliebte hatte es plötzlich eilig; die Begegnung mit Elena war ihr auf den Magen geschlagen. Man sehe sich ja am Abend wieder, vertröstete sie ihn. Als Max allein war, blätterte er stundenlang in Kochbüchern seiner Mutter, um die Garzeit für Spargel herauszubekommen und ein Rezept für die Hollandaise zu finden. An diesem Abend sollte es Jenny richtig gut schmecken, also keine Experimente!

Seine Eltern hatten ausgiebig geschlafen, sich vor dem Frühstück massieren lassen und später einen Bummel durch Baden-Baden gemacht. Petra war mit ihren Einkäufen sehr zufrieden: Die Ausbeute bestand nicht nur aus einem blau-grün gestreiften Pyjama und einem Badeanzug, sondern auch aus eleganten roten Schuhen, die leider ein wenig drückten. Der Hochzeitstag ließ sich gut an, auch Harald war zufrieden, denn er hatte seiner Frau den Besuch der Spielbank erfolgreich ausgeredet.

Als sie schließlich auf einer Parkbank saßen und sich von der Shopping-Tour ausruhten, konnte Harald es nicht lassen: »Ich wusste zwar, dass du eine Göttin bist, aber für eine Juno bist du eigentlich nicht fett genug.«

Sie starrte ihn verständnislos an, und Harald erklärte, dass sie im Traum sehnsüchtig nach Jupiter gerufen habe.

Petra wurde blass. Was hatte sie wohl sonst noch alles verraten? Ihr Lover hieß Joseph, und er hatte ihr erzählt, dass dieser Name in seiner rheinischen Heimat zu Jupp verkürzt wurde, sein zweiter Name Peter wurde zu Pitter. Also hatte sie ihn Jupiter getauft, aber das wusste sonst niemand. Anscheinend hatte Harald keinen Verdacht geschöpft, denn er fand Petras Beziehung zu einem römischen Gott einfach nur komisch.

Der Samstag verlief weiterhin friedlich, sowohl in Baden-Baden als auch bei Max und seinem Großvater zu Hause. Erst in der Nacht zum Sonntag kam es zu Turbulenzen.

Jenny und Max hatten nach dem Spargel-Essen einen Erotikfilm aus dem geheimen Fundus der Eltern angesehen und waren gegen elf Uhr ins Doppelbett geschlüpft, was nicht hieß, dass der Abend für sie nun beendet war. Um halb drei aber lagen beide im Tiefschlaf und merkten nicht, dass ein Mann das Garagentor gewaltsam zu öffnen versuchte.

Willy Knobel hatte hingegen bis zwei Uhr geschlafen, war dann aber wach geworden und hatte den Fernseher ein- und frustriert wieder ausgeschaltet. Die Luft schien ihm stickig, sein Atem ging schwer. Er griff nach den Krücken, hängte sich seine Decke um und tappte im Halbdunkel auf den Balkon. Es war um diese Zeit sehr ruhig, obwohl man gelegentlich ein Auto oder das ferne Rattern der Eisenbahn hören konnte, manchmal wehte der Wind auch die Töne einer Musikanlage herbei. Es wurden jetzt überall Abiturfeten gefeiert.

Lange hatte der Alte keine filigranzarte, goldene Halbsichel mehr gesehen, nun war er fast zu Tränen gerührt. Zu den Lieblingsgedichten seiner Ilse und ihrer Schulfreundin Charlotte gehörte *Der Mond ist aufgegangen*; er versuchte in Gedanken, Strophe für Strophe aufzusagen. Schließlich murmelte er:

> *Wollst endlich sonder Grämen*
> *Aus dieser Welt uns nehmen*
> *Durch einen sanften Tod!*

Ganz begeistert vom eigenen guten Gedächtnis überkam ihn plötzlich die Lust auf eine Zigarre. Einmal ist keinmal, dachte er, und suchte den Brustbeutel. Eingehüllt in die Decke saß er rauchend auf seinem Gartenstuhl und fand das Leben wunderbar. »Wie Kinder fromm und fröhlich sein«, zitierte er und paffte gelassen vor sich hin.

Als er schließlich aufstand, um die längst nicht mehr glimmende Zigarre hinunterzuwerfen, sah er im fahlen Schein der Straßenlaterne eine schemenhafte Gestalt, die lautlos das kurze Stück bis zur Garageneinfahrt entlangschlich und sich am Tor zu schaffen machte. Für Sekunden blieb dem Alten das Herz fast stehen, dann aber handelte er schnell und entschlossen. Die Pistole aus dem Beutel nehmen und einen Warnschuss abgeben, das war jetzt die Parole. Zu seiner eigenen Verwunderung funktionierte die alte Walther tadellos. Der Knall zerriss die nächtliche Stille, aber in keinem einzigen Fenster der umliegenden Häuser ging das Licht an. Der Fremde aber duckte sich in den Schatten der Hauswand und ließ nach einer kurzen Verschnaufpause von seinem finsteren Plan nicht ab. Er holte jetzt einen Gegenstand hervor, der wie ein Brecheisen aussah.

Der Alte wollte laut um Hilfe rufen, aber die Stimme versagte ihm. In seiner Not schoss er ein zweites Mal. Neben die Beine zielen, hatte er sich vorgenommen, und anscheinend hatte der Fremde beim zweiten Kracher nun doch Bammel bekommen und war abgehauen. Immer noch reagierte niemand auf die beiden Schüsse. Hochzufrieden wollte sich Willy Knobel wieder zur Ruhe betten, als die Tür aufgerissen wurde, die Deckenleuchte anging und Max vor ihm stand.

»Hände hoch, oder ich schieße!«, sagte der Alte fröhlich und richtete die Pistole auf seinen halbnackten Enkel.

»Um Gottes willen, Opa, warst du das gerade?«

»Da wollte einer hier eindringen, dem hab' ich es aber gegeben! Auf und davon, dieser Hasenfuß! Keine Angst, Junge, Opa passt schon auf. – *Lieb' Vaterland, magst ruhig sein, fest steht und treu die Wacht am Rhein!*«

Max nahm seinem Großvater die Waffe aus der Hand, legte sie auf den Nachttisch und sank erst einmal in den Ohrensessel, weil ihm schwarz vor den Augen wurde. Jetzt ist er endgültig übergeschnappt, dachte er, alles meine Schuld. Schließlich trat er auf den Balkon, stolperte über die dort herumliegende Decke, blickte hinunter und erkannte trotz der Dunkelheit: Da unten lag einer.

Sollte er gleich einen Krankenwagen rufen oder erst selbst nach dem Rechten sehen? Etwas ängstlich rannte er die Kellertreppe hinunter, durchquerte die Garage, griff nach einer Taschenlampe und öffnete das Tor einen Spaltbreit.

Da lag ein Verletzter, den er nun anleuchtete. War dieser Mann mit einer Eisenstange etwa der von Falko gedungene Schläger, der Max die Zähne einschlagen sollte? Es war tatsächlich Pit Bull, den der Großvater allem Anschein nach niedergestreckt hatte. Max, der sich nicht traute, seinem bewusstlosen Erzfeind den Puls zu fühlen, machte vorsichtshalber das Tor wieder zu, raste hinauf ins Schlafzimmer und holte Jenny, die schließlich etwas von Medizin verstand.

Sie wagte sich, mit der Taschenlampe bewaffnet, etwas näher an den Lädierten heran, fing hysterisch an zu hecheln und brachte schließlich kaum hörbar hervor, was Max bereits ahnte: »Ich kenne ihn, das ist Pit Bull!«

»Das weiß ich auch, aber wir müssen etwas unternehmen. Opa hat auf ihn geschossen. Hat es ihn ernsthaft erwischt?«, flüsterte Max.

Jenny blieb eine Ewigkeit stumm. Dann sagte sie: »Er ist tot.«

Max verschlug es eine Weile die Sprache, dann setzten beide gleichzeitig wieder an: »Wir müssen den Notruf…«

»Lieber gleich die Polizei…«

»Dann kommt Opa in den Knast …«

»Eher in die Klapse …«

Schließlich schleiften sie Pit Bull, der kaum blutete, erst mal an den Beinen in die Garage, nahmen auch die Eisenstange mit und schlossen das Tor ab.

»Lass mich jetzt bloß nicht im Stich, Jenny!«, flehte Max und rannte die Treppe hinauf zu seinem Großvater.

»Opa, wo hast du denn deine Decke, du musst dich wieder ins Bett legen und endlich schlafen. Die Einbrecher hast du wirklich vertrieben, aber die Pistole – wo hast du sie gelassen?«

Trotziges Schweigen.

»Okay, ich werde sie schon finden und wegschmeißen. Sonst kommen wir nämlich beide in Teufels Küche. Hast du überhaupt einen Waffenschein?«

»Den braucht man als alter Soldat nicht«, brummte der Alte, ließ sich aber willig ins Bett bringen.

Um halb vier saßen Max und Jenny immer noch in der Küche, tranken Kaffee und warteten auf den rettenden Einfall. Niemals würde der Großvater noch Verhöre und Untersuchungen durchstehen – um am Ende in der geschlossenen Abteilung der Psychiatrischen Klinik Heppenheim zu landen.

»Außer Falko weiß wahrscheinlich niemand, dass Pit Bull hier war«, sagte Jenny, »und der wird das Maul halten. Wir müssen die Leiche eben wegschaffen, solange es dunkel ist, gegen sechs wird es schon hell. Im Übrigen weine ich ihm keine Träne nach.«

Max dachte plötzlich an jenen Tag, an dem alles Unglück begonnen hatte – als er Falkos angebliche Erbschaft zu einem Hehler bringen sollte. Er konnte sich noch genau an den verwilderten Schrebergarten erinnern: Es wäre ein idealer Ort, um die Leiche abzulegen. Und weit genug weg von hier.

»Diesen Garten kenne ich auch«, sagte Jenny, und Max fragte lieber nicht, was sie dort erlebt hatte. Sie fand überdies, dass die Polizei durch den Fundort schnell auf Falkos Spur gelenkt werden und keinen Zusammenhang mit der Familie Knobel wittern würde.

Von außen konnte man die Schussverletzung im Bauchbereich kaum erkennen, der Tote schien innerlich verblutet zu sein. In zwei Müllsäcke eingepackt ließe er sich am besten transportieren. Allerdings war Eile geboten. Wenn nämlich die Leichenstarre erst einmal einsetzte, konnte man den Körper nicht mehr biegen, meinte Jenny.

»Er muss ja irgendwie hergekommen sein«, überlegte sie. »Wahrscheinlich steht sein Auto irgendwo in der Nähe.«

Mit flinken Fingern durchsuchte sie die Taschen des Toten und fand auf Anhieb Wagenpapiere, Schlüsselbund, Führerschein und Geld. Bis auf die Schlüssel steckte sie alles wieder zurück.

Max befand sich durch den unterbrochenen Schlaf, den ungewohnt starken Kaffee und vor allem durch den Schock in einem seltsamen Schwebezustand. Ein Film, dachte er, gleich werde ich wach, alles war ein Traum. Doch Jenny trieb ihn zur Eile. Max machte sich also leicht schwankend auf die Suche nach einem Wagen mit dem Kennzeichen HD – PB 666 und parkte ihn rückwärts vor die Garageneinfahrt. Er war etwas enttäuscht, dass ein Gangster keinen großen Citroën, sondern einen simplen Polo fuhr.

Jenny hatte sich inzwischen gefangen und kam jetzt ganz ohne Flennen, Zähneklappern und Lamento aus. Als hätte sie täglich Leichen zu entsorgen, zog sie sich einen Pullover von Max gegen die Kälte über, suchte dann in der Küche nach großen blauen Müllsäcken und im Haushaltskeller nach einer Wäscheleine. Als Max nach knapp zehn Minuten mit dem Polo anrückte, hatte sie bereits einen Sack über den Kopf des Toten gezogen und festgebunden, nun mühte sie sich mit dem zweiten ab.

18

Bevor sie starteten, stritten sich Jenny und Max wie kleine Kinder, wer den Leichenwagen fahren sollte. Sie wollten mit zwei Autos aufbrechen. Der Tote sollte hinter der kleinen Hütte des Schrebergartens versteckt oder sogar vergraben werden, den leeren Gangster-Polo wollten sie irgendwo abstellen – mochte sich die Polizei später einen Reim darauf machen, wie das alles zusammenhing.

Schließlich knobelten sie: Schere, Stein, Papier. Obwohl Max große Zuneigung für Jenny empfand, war es ihm doch lieber, dass er mit seinem eigenen Wagen vorausfahren durfte und sie den schwarzen Peter beziehungsweise den toten Pit hatte.

Die Verladung war relativ einfach gewesen, Max hatte gemeinsam mit Jenny die verpackte Leiche angehoben und in gekrümmter Haltung zwischen leere Bierdosen und anderen Müll in den Kofferraum gestopft. Dann setzte er sich kurz neben sie ans Steuer, um ihr die Bedienung des vw zu erklären, aber Jenny war schon mit den unterschiedlichsten Dienstwagen unterwegs gewesen und tippte sich bloß mit dem Finger an die Stirn. Ganz sachte ließ sie den Polo aus der Einfahrt rollen, Max schloss das Garagentor ab, stieg in den eigenen Wagen und fuhr vor ihr her. Nicht zu schnell und nicht zu langsam, darauf hatten sie sich geeinigt. Als Devise galt, unter keinen Umständen aufzufallen, denn die Gesetzeshüter hielten an den Wochenenden häufig nach den Schlangenlinien jugendlicher Diskogänger Ausschau.

Auf der A5, kurz vor Heidelberg, gerieten sie trotz der nachtschlafenden Zeit in einen Stau. Nach wenigen, aber endlosen Kilometern sah man in der Ferne blaues Blinklicht. Es war unmöglich, jetzt noch abzubiegen, sie saßen in der Falle. Bestenfalls hatte es einen Unfall gegeben, und der Verkehr wurde bloß auf eine andere Spur umgeleitet; falls man aber Wagen für Wagen in die Zange nahm, hatten sie schlechte Karten. Die Papiere für den Polo steckten in Pit Bulls Jackentasche. Außerdem war sein Auto – als das eines berüchtigten Schlägers – sicherlich bei der Polizei bekannt.

Hätten wir für den Leichentransport bloß Jennys Wagen mit dem gut sichtbaren Aufdruck des Pflegedienstes genommen, dachte Max. Jenny mit ihrem Beruf als Samariterin wäre über jeden Verdacht erhaben.

Nach zehn bangen Minuten wurde Max mit einer Kelle auf den Standstreifen dirigiert und der Polo einfach durchgewinkt.

»Haben Sie getrunken?«, wurde er gefragt.

»Kaffee«, sagte Max und wurde leichenblass, was man aber zum Glück nicht sehen konnte. Einige Gläser von Vaters Weißwein waren es außerdem gewesen, aber das war bereits viele Stunden her.

Er kramte seine Papiere heraus und durfte, nachdem der Polizist die Daten überprüft hatte, weiterfahren. Wo aber war Jenny geblieben?

Schon wieder hatte er einen Fehler gemacht und in der Aufregung kein Handy eingesteckt. Ob Jenny ihres bei sich hatte, wusste er nicht. Er steuerte den nächsten Rastplatz an, und da stand sie bereits vor dem geparkten Polo und rauchte. Absolut cool, dachte Max bewundernd. Er ließ sich seine grenzenlose Erleichterung nicht anmerken, stellte sich mindestens ebenso kaltblütig, schlenderte wie zufällig an ihre Seite und fragte lässig: »Hast du für mich noch eine übrig?«

Doch bevor er die Zigarette anzünden konnte, musste er sich in die Büsche schlagen und den halbverdauten Spargel, den Kaffee und die Fettränder des Wacholderschinkens in einem einzigen Schwall von sich geben.

»Die Autonummer hat er nicht gerade intelligent ausgewählt«, sagte Max, als er wieder neben

Jenny und dem Polo stand, und versuchte, von seinem Schwächeanfall abzulenken. Er wischte sich den Mund mit dem Ärmel ab: »PB 666 für Pit Bull Sex, Sex, Sex kann sich doch jeder Depp sofort merken ...«

»Der Klügste ist – ich meine, war – er sicher nicht. Er hätte Türsteher in Falkos geplantem Sexschuppen werden sollen. Und in Wirklichkeit hieß er auch nicht Pit Bull, sondern Sascha Kreutzer«, sagte Jenny und kratzte mit dem Autoschlüssel drei Kreuze auf die Fahrertür.

»Wir haben ein Riesenglück gehabt, dass die Polizei nur mich und nicht dich gestoppt hat!«, meinte Max.

»Sie haben bloß Männer kontrolliert«, sagte Jenny nach einigen tiefen Lungenzügen. »Lass uns weiterfahren und es hinter uns bringen. Ich bin hundemüde.«

Auch Max träumte von seinem warmen Bett. Doch leider mussten nach ihrer Rückkehr zuerst die Garage und die Einfahrt gründlich nach Blutspuren untersucht und gegebenenfalls mit dem Gartenschlauch abgespritzt werden. Was aber würden die Nachbarn denken, wenn der Langschläfer Max am Sonntagmorgen mit Wasser herumpanschte? Am besten, er tat, als ob er sein Auto waschen würde, was allerdings das erste Mal wäre.

Inzwischen waren sie in Heidelberg angekommen, durchquerten die Stadt und fuhren weiter in Richtung Leimen. Max zermarterte sich das Hirn, wo er damals in einen steilen Höhenweg abgebogen war, und entschied sich für die falsche Abzweigung; Jenny gab sofort Blinkzeichen, Max bremste und ließ sie vor. Offenbar kannte sie die Strecke besser als er, denn sie führte ihn zielstrebig auf engen Kurven den Hang entlang, bis er das Schild *Nur für Kleingärtner* entdeckte.

Es wurde hell, die Vögel sangen. Ein Ornithologe saß mit einem Fernglas auf einer einsamen Bank. Er würdigte die beiden Wagen keines Blickes, hatte offenbar eine seltene Spezies im Visier. Nach weiteren fünf Minuten hielt Jenny am Rande eines Wendekreises und stieg aus.

»Hier lassen wir deinen Schlitten am besten stehen«, schlug sie vor, »wir sind ja fast am Ziel. Zwei Autos fallen bloß unnötig auf. Zu Fuß sind wir nachher schnell wieder am Parkplatz und können uns in deinem Wagen auf den Heimweg machen.«

Max gehorchte. Es war klar, dass seine Freundin von nun an die Fäden in der Hand hielt und das Kommando übernahm. Schließlich war sie auch älter als er. Als sie nebeneinander in Pit Bulls Wagen saßen, blieb Jenny auch weiterhin am Steuer.

»Ich glaube, ich werde ihn auswickeln müssen«,

überlegte sie, »denn ich war doof genug, seine Brieftasche wieder in die Jackentasche zu stecken. In der ersten Wut wollte ich nichts von ihm annehmen, aber das war ein Fehler.«

Max schüttelte den Kopf. »Quatsch, wir haben es eilig. Am Sonntag und bei so schönem Wetter kommen vielleicht Leute in ihre Gärten. Wie viel Geld war es denn?«

»Genug für eine halbe Sitzung beim Hautarzt«, sagte sie und tätschelte Max den Oberschenkel. »Ich bin deinem Opa ja so dankbar, dass er mir diesen Gefallen getan hat! Am besten, er hätte Falko auch gleich erlegt.«

»Was nicht ist, kann ja noch werden«, sagte Max munter, denn auf einmal fühlte er sich ebenfalls von einer Last befreit. Die bewusste Eisenstange, die eigentlich ein Metallrohr war, lag jetzt zu Hause in der Garage und konnte ihm keine Zähne mehr ausschlagen.

Der kleine Abstellplatz vor der Hütte war nur mit einer provisorischen Kette versperrt, Max klinkte sie aus und trat zornig gegen die umgestürzte Regentonne, unter der damals die gestohlenen Uhren vergraben lagen. Jenny ging voraus, sah sich um, schlich dann an das Häuschen heran und versuchte, durch das kleine, verschmutzte Fenster einen Blick ins Innere zu werfen.

»Da hat manchmal ein Penner geschlafen«, sagte sie, »und im Sommer waren wir manchmal hier.«

Max ahnte, mit wem sie dieses Lager geteilt hatte; er fragte, nichts Gutes ahnend, nach dem Besitzer des Gartens. Ursprünglich waren es Falkos Eltern gewesen, aber seine Mutter war tot, der Vater lebte in einem Heim. Niemand kümmerte sich um das verwilderte Grundstück, und in den meisten Nachbargärten sah es ähnlich aus. Die alten Leute waren nicht mehr imstande, die steile Hanglage zu bearbeiten, ihre Kinder hatten keine Lust dazu. Man konnte immer wieder Anzeigen in den Lokalzeitungen lesen, dass ein Schrebergarten günstig zu pachten sei, aber es meldeten sich fast keine Interessenten.

»Höchstens Türken oder eine grüne Studenten-WG«, sagte Jenny, »aber die verlieren nach zwei Jahren die Lust oder ziehen weg.«

Die Gefahr, entdeckt zu werden, hielt sich also in Grenzen.

»Der Flieder blüht ja schon«, stellte Jenny fest. »Wenn wir Pit Bull los sind, breche ich mir ein paar Zweige ab.«

Max fand das wieder wahnsinnig cool. Er öffnete die Hecktür und grauste sich, das Paket zum zweiten Mal anzufassen. Er war weder groß noch stark, aber was sollte Jenny von ihm denken?

»Hau ruck!«, rief Jenny und fasste am unteren Ende an. Max musste notgedrungen zupacken, der massige Pit Bull wirkte jetzt viel schwerer als beim Einladen. Nach einigem Gezerre hatten sie ihn im feuchten Gras abgelegt. Max tränten die Augen, und er bekam einen Niesanfall. Der verfluchte Heuschnupfen machte ihm jedes Frühjahr zu schaffen.

»Den können wir niemals schleppen«, sagte Jenny. »Wir packen ihn an den Beinen und schleifen ihn hinters Haus.«

Über Steine, Dornen und Gestrüpp ging es leicht bergab, wobei die Plastikfolie an einigen Stellen in Fetzen riss. Max sah entsetzt, dass immer mehr Pit Bull zum Vorschein kam, aber Jenny meinte bloß: »Umso leichter komme ich an sein Geld.«

Ein Kaninchen schreckte auf, ein Eichelhäher stieß Warnrufe aus, Max und Jenny hatten bereits nach wenigen Schritten nasse Hosenbeine. Aber die Knochenarbeit war relativ rasch erledigt. Der Tote war vom Weg aus nicht mehr sichtbar. Jenny machte vorne einen kleinen Schlitz in den Müllsack und suchte nach der Brieftasche.

»Ich will nach Hause«, drängte Max. Doch Jenny wollte erst noch die Schleifspuren verwischen, die eigenen Fußstapfen glätten, und es sei überhaupt zu bedenken, ob man nicht eine Grube schaufeln sollte.

»Was ist, wenn sich Wildschweine über den Kadaver hermachen ...«, meinte sie und zählte dabei Geldscheine; Max spürte einen erneuten Würgereiz. Es war ihm völlig egal, was mit der Leiche geschah, er wollte nur noch verschwinden. Außerdem hatten sie keinen Spaten dabei.

Jenny war indessen nicht aufzuhalten, kletterte über einen kleinen Zaun und drang in eine benachbarte Laube ein. Triumphierend kam sie mit einer verbogenen Schaufel zurück. Sie begann zu graben, sah aber schnell ein, dass die Erde ausgetrocknet und knochenhart war.

»Mach du mal weiter«, forderte sie ihren Komplizen auf.

»Sie finden sowieso unsere Fingerabdrücke – am Auto, am Hüttenfenster, irgendwann sogar an den Müllsäcken«, sagte Max resigniert, »und sicherlich noch jede Menge DNA-Material. Ob wir ihn nun verscharren oder nicht, das spielt keine große Rolle mehr.«

Jenny erschrak.

»Scheiße! An Fingerabdrücke habe ich überhaupt nicht gedacht«, sagte sie. »Wir hätten von Anfang an Gummihandschuhe tragen sollen. Was schlägst du jetzt vor?«

»Mir ist nur nach Heimfahren«, sagte Max und gähnte, »es ist fast halb sieben, um acht will Opa sein Frühstück.«

»Ich hab's«, sagte Jenny, »wir legen ein Feuer. Pit Bull kommt auf die Matratze, dann stecken wir die Hütte an und hauen ab.«

Max gab auf und sagte nichts mehr. Jenny schlug mit der Schaufel eine Fensterscheibe ein. Ungläubig sah Max zu, wie sie die zackigen Scherben mit einem Stein vom Rahmen abklopfte, sich am Fensterkreuz hochschwang und im Innern der Hütte verschwand. Kurz darauf öffnete sie die Tür und zog Max hinein.

»Der Ersatzschlüssel war noch wie früher unter der Matratze versteckt«, sagte sie zufrieden.

Es stank bestialisch. Im schummrigen Licht erkannte Max eine verschimmelte Matratze, rostige Werkzeuge und Spinnennetze, die sich quer durch den Raum spannten. Asseln, Schmeißfliegen und Käfer wurden aufgescheucht. Mitten auf dem Fußboden aus verschiedenen zusammengestoppelten Fliesen klebte eine tote Ratte. Es war nicht weiter schade, wenn dieses Loch in Flammen aufging.

Jenny zündete sich eine Zigarette an und behielt das Feuerzeug in der Hand.

»Hast du einen Benzinkanister im Auto?«, fragte sie, Max verneinte.

»Es geht ja vielleicht auch so«, sagte sie. »Holen wir ihn erst mal rein.«

Max musste zum dritten Mal den verhassten Pit Bull anheben. Sie ließen den Toten unsanft auf die vergammelte Unterlage plumpsen. Das vor einer Stunde noch ordentlich verschnürte Paket sah inzwischen reichlich ramponiert aus, aber die Flammen würden ja *tabula rasa* machen. Wieder ein Zitat von Opa, dachte Max und sah auf die Uhr.

Jenny schmiegte sich an ihn. »Gleich ist alles überstanden«, tröstete sie. »Komm, wir holen nur noch ein bisschen Zunder. Drüben hatten sie mal Kaninchen, ich hab' vorhin gesehen, dass sie noch einen Vorrat Heu gestapelt haben.«

Max hätte sich gern neben den Toten gelegt, so müde war er.

Das Heu brannte tatsächlich sofort. Aber wenn Max nun damit gerechnet hatte, endlich nach Hause zu dürfen, so hatte er sich getäuscht. Jenny begann hektisch, die Türen, das Lenkrad und die Heckklappe des Polos mit ihrem Taschentuch abzureiben. Die Putzaktion nahm kein Ende, obwohl es inzwischen immer heftiger aus der Hütte qualmte.

»Wir müssen weg!«, rief Max. »In fünf Minuten ist die Feuerwehr da!«

»Es ist Sonntagmorgen«, sagte Jenny, »da schlafen doch noch alle. Aber vielleicht ist es besser, wenn wir den Polo nicht hier stehen lassen, sondern einfach irgendwo im Rhein versenk…«

»Mach, was du willst«, sagte Max. »Ich kann nicht mehr.«

Als wollte sie seine Geduld auf die Probe stellen, brach Jenny lila und weiße Fliederdolden ab, bis sie einen stattlichen Strauß in der Hand hielt.

»Jenny, es brennt!«, brüllte Max, denn jetzt schlugen die Flammen aus der Hütte.

»Ich komm' ja schon«, sagte sie und fügte im Vorbeigehen ihrem Gebinde noch eine rosa Akelei hinzu. Als sie sich dem Parkplatz näherten, kam ihnen der aufgeregte Ornithologe entgegen.

»Haben Sie ein Handy?«, fragte er. »Ich habe Rauchentwicklung beobachtet, wahrscheinlich brennt eine der morschen Bretterbuden!«

»Wir haben nichts bemerkt«, sagte Jenny, »und leider auch kein Handy dabei. Vorhin haben wir allerdings eine Türkenfamilie mit Plastiktüten getroffen, die wollen wahrscheinlich grillen.«

»Ach so«, sagte der Vogelfreund, »dann kann ich ja beruhigt nach Hause gehen.«

Jenny schlenderte betont gemächlich weiter, während Max am liebsten gerannt wäre, was das Zeug hielt.

»Wer grillt denn schon am frühen Morgen!«, stieß er hervor.

Erst als sie endlich im Wagen saßen und Max im Handschuhfach nach einem Hustenbonbon kramte, klappte Jenny zusammen. Max fuhr los, als wären alle Furien hinter ihm her.

19

Max setzte die wieder ansprechbare Jenny gegen halb neun vor ihrer Wohnung ab, wo sie sich sofort ins Bett legte. Um zwölf hatte sie den ersten Termin bei einer gelähmten Frau, der sie das Mittagessen warm machen sollte. Als Max kurz darauf zu Hause ankam, sah er bereits von weitem Elenas Dienstwagen. Er fluchte und hastete die Treppe hinauf. Dort erwartete ihn ein Donnerwetter.

»Signorino nixe wie amore in Kopfe, collazione für Nonno vergesse«, schalt Elena aufgebracht. Ihr Deutsch wurde vor Zorn zum Kauderwelsch. »Ecco die Insalata! Opa isse verruckte! Musse mehr trinke!« Der Alte rede *nonsenso* und rufe nach Ilse.

Max trat ein und sagte: »Guten Morgen, Opa! Geht's dir gut? Dein Motto ist doch: *Morgenstund' hat Gold im Mund!*«

Und der Großvater erwiderte: »Os der Mund und os das Bein müssen beide Neutra sein!«

Dann schimpfte er: »Ilse hat uns schon wieder nichts zu essen gegeben, kein Wunder, wenn du nicht wächst, du Zwerg!«

Max wagte nicht, in Elenas Anwesenheit nach

der Pistole zu fragen, er beeilte sich vielmehr, das Frühstück zu richten und hinaufzutragen. Als die Pflegerin fort war, saß der Alte gewaschen, gewindelt und angekleidet an seinem Tischchen und schlürfte Kaffee. Max nutzte die Gelegenheit, um sich die Walther, die er hinter der Gardine aufgespürt hatte, unauffällig unter den Pullover zu stecken.

Nun hieß es Autowaschen. Wie er befürchtet hatte, blieb ein alter Nachbar, der gerade aus der Kirche kam, vor ihm stehen: »Entschuldigen Sie, junger Mann, wenn ich Sie einfach mal anspreche! Haben Sie vergessen, dass Sonntag ist? Oder ist der heutigen Jugend gar nichts mehr heilig?«

Er sei gleich fertig, beteuerte Max. Unter der Woche müsse er studieren und nebenher noch seinen kranken Großvater pflegen, daher habe er selten Zeit.

Zum Glück hatte er nur wenige Blutstropfen entdeckt, die er schnell in den Gully spülte. Das Eisenrohr aus der Garage schob er mitsamt der Pistole kurzerhand unter sein Bett. Er würde die Beweisstücke der nächtlichen Katastrophe bei nächster Gelegenheit entsorgen.

Wichtiger war jetzt das Schlafzimmer der Eltern, wo er das Bettzeug wechseln musste. Wer konnte schon genau wissen, wann Papa und Mama wieder

auftauchten. Die Gläser verschwanden in der Spülmaschine, wohin aber mit den Bezügen, die Jenny
und er nur zweimal benutzt hatten? Max stopfte
sie in seinen Schrank, vergaß auch nicht die roten
Servietten, sank dann aufs Bett und schlief sofort
ein. Heute musste der Großvater auch auf das Mit-
tagsmahl warten, denn Max wachte erst gegen
fünfzehn Uhr wieder auf.

Mittlerweile hatte der Alte keinen Hunger mehr,
verlangte bloß eine kühle Blonde und kicherte al-
bern über das verblüffte Gesicht seines Enkels, der
doch wusste, dass sein Opa das »bayerische Prole-
tengetränk« eigentlich verachtete.

*»Des Bieres kundig eingedenk, trank er sich
mächtig voll!«*

Am späten Nachmittag kamen Harald und Petra
von ihrer Reise zurück.

»Sieh da, sieh da, Timotheus!«, zitierte Harald
sowohl Schiller als auch seinen Vater. »Es geschehen noch Zeichen und Wunder, dein Herr Sohn
hat sein Auto gewaschen!«

»Und die halbe Straße geflutet«, ergänzte Petra
und schloss die Haustür auf. Harald nahm die beiden Koffer und ging nach oben. Die Tür zum Zimmer des Alten stand offen, man hörte Gegröle.

Als die Römer frech geworden,
sim serim sim sim sim sim,
zogen sie nach Deutschlands Norden
sim serim sim sim sim sim…

Harald hasste dieses schwachsinnige Lied, das ihm sein Vater bereits beibringen wollte, als er noch ein kleiner Junge war. Es folgten endlose Strophen mit dem Refrain terätätätärä oder schnäderängtäng. Soweit Harald es beurteilen konnte, hatte der Alte seit Jahren nicht mehr so laut und falsch geschmettert. Mit Nachdruck machte er die Tür des Heldentenors zu. Im Erdgeschoss hörte er seine Frau nach Max rufen und ging hinunter. Beide Eltern erschraken über Max' Aussehen, als er schließlich auftauchte.

»Hast dich wohl beim Autowaschen übernommen?«, stichelte Harald. »Und was ist los mit deinem Großvater?«

»Was soll schon sein«, stotterte Max. »Er hat schon mehrmals ein bisschen gesponnen, das hört schnell wieder auf. – Wenn er etwas Merkwürdiges sagt, darfst du es nicht auf die Goldwaage legen.«

»Ich schau gleich mal nach ihm«, sagte Petra und eilte in den ersten Stock.

Wieder einmal wurde sie mit »Ilse« begrüßt. Vor dem Alten standen ein voller Aschenbecher und eine leere Bierflasche. Die Stimme ihres Schwiegervaters, die im Alter leiser geworden war, tönte jetzt laut und kräftig, als er sagte: »Du brauchst dir keine Sorgen zu machen, Ilsebill, dein Willy hat die bösen Geister vertrieben. Und zwar piff-paff mit einer Pistole, da staunst du, was?«

»Ja, ja«, sagte Petra, »du bist ein richtiger Held, der sich gerade das Rauchen abgewöhnt. Anscheinend hat Max dich gut versorgt!«

»Du musst dem Kleinen mehr zu essen geben, er bleibt sonst ein Leben lang so mickrig. Von mir hat er das nicht, in meiner Familie gab es nur Gardemaß und keinen Zwergwuchs.«

Das war zu viel! Ein Meter fünfundsechzig waren doch kein Handicap! Und was tun, wenn der Alte immer schlimmer delirierte? Wie lange würden sie das aushalten? Wovon wollten sie auf Dauer die Pflege bezahlen? Ihr Mann stand kurz vor dem Ruhestand, und ihr eigener Verdienst als Buchhändlerin war nicht gerade üppig.

Im Schlafzimmer geriet sie beim Kofferauspacken erst recht in Zorn, denn stank es hier nicht auch nach Rauch? War ihr Schwiegervater wieder hier eingedrungen und dazu noch mit einer brennenden Zigarre? Selbst die Betten schien er benutzt zu haben, denn Petras Nackenkissen lag auf Haralds Seite.

Wutentbrannt kehrte sie erneut ins Wohnzimmer zurück, aber Max hatte sich längst wieder in die Katakomben zurückgezogen. Also kriegte der arme Harald sein Fett ab.

»Dein Sohn wird bald einundzwanzig!«, sagte sie zu ihrem Mann, »aber er macht nichts als Mist. Erst hat er deinen Vater aufgepäppelt, anstatt ihn in Frieden sterben zu lassen, jetzt dopt er ihn mit Bier und Zigarren und verhindert nicht, dass sich Knobel senior in unserem Schlafzimmer breitmacht. Du hättest dir den Jungen längst mal vorknöpfen sollen.«

»Wieso denn ich? Jahrelang lässt du ihm alles durchgehen und verwöhnst ihn nach Strich und Faden, und wenn das Kind in den Brunnen gefallen ist, soll ich plötzlich schuld sein«, sagte Harald ärgerlich. »Und den alten Mann bei uns aufzunehmen war bestimmt nicht meine Idee. Was soll eigentlich aus uns selbst im Alter einmal werden, wenn die Pflege meines Vaters alles Geld auffrisst? Hast du dir je Gedanken darüber gemacht? Jedenfalls habe ich nächste Woche einen Termin mit einem Makler in Dossenheim. Jeder weiß, dass eine leerstehende Immobilie über kurz oder lang baufällig wird, vom Garten ganz zu schweigen.«

»Noch gehört das Haus nicht uns, du kannst es nicht einfach verkaufen«, wandte Petra ein.

»Ich will es wenigstens einmal schätzen lassen«, sagte Harald und zog sich in sein Arbeitszimmer zurück.

Abends kam Jenny, um den Alten bettfertig zu machen. Max hatte sie bereits über den verwirrten Zustand seines Großvaters informiert. Sie bringe ein wirksames Sedativum mit, hatte sie versprochen, denn das sei oft schon die halbe Miete.

Es war zwar ein verschreibungspflichtiges Mittel, das Jenny aus der Tasche zog, aber es war kein Problem für sie gewesen, eine geringe Dosis von einer anderen Patientin abzuzweigen. Max betrachtete seine Freundin besorgt, sie sah verhärmt aus, gealtert und blass. Er mochte die sensible Altenpflegerin definitiv lieber als die abgebrühte Gangsterbraut. Sie sprachen nicht über ihr Abenteuer, nahmen sich nur in den Arm und drückten sich fest. Jenny hatte wenig Zeit und nach Dienstschluss wollte sie ins eigene Bett.

Auch Petra wollte nur noch ihre Ruhe, sich vor den Fernseher auf das Sofa hauen und die Nachrichten sehen. Nach der ungewohnten Nackenmassage in Baden-Baden tat ihr der gesamte Schulter- und Halsbereich weh. Ein Ärger kommt selten allein, dachte sie, als das Telefon klingelte und sie sich wieder erheben musste. Und sie hatte tatsächlich recht: Der Erpresser meldete sich.

»Frau Knobel«, sagte die fremde, heisere Stimme. »Sie haben mich bisher nicht ernst genommen. Ihr Mann lässt anscheinend von seinem idiotischen Plan nicht ab und will auf Biegen und Brechen diese Tiefgarage bauen. Wissen Sie überhaupt, was das für Folgen hat?«

»Nur positive«, sagte Petra so sachlich, wie es eben ging. »Das Amt für Stadtentwicklung verspricht sich eine Menge von diesem Projekt. Die Kundschaft wird nicht mehr in die Großstädte und Mega-Einkaufszentren abwandern, sondern ihr Geld hier bei uns ausgeben!«

»Und die vielen Anwohner, denen das Fundament absackt, an die denken Sie wohl gar nicht! Ich warne Sie jetzt zum letzten Mal! Wenn Sie Ihren Mann nicht in meinem Sinn beeinflussen, wird es verheerende Folgen für Ihre ganze Familie haben!«

Es wurde aufgelegt. Petra war ganz zufrieden mit ihrer unaufgeregten Reaktion. Diese stümperhafte Drohung! Man konnte jetzt mit einiger Sicherheit davon ausgehen, dass der Unbekannte kein professioneller Erpresser war, sondern ein

Haus direkt über der unterirdischen Garage besaß. Der Personenkreis wurde damit drastisch eingeschränkt. Harald sollte sofort seinen Freund bei der Kripo anrufen, auch wenn Ronald Melf sonntags nicht im Dienst war.

Harald sagte: »Morgen.« Und gähnte.

Am Montag brachte Max seinem Großvater pünktlich das Frühstück ans Bett, aber der Alte war nicht wachzukriegen. Hatte Jenny das Schlafmittel etwa zu hoch dosiert? Max strich ihm über die Stirn, die aber nicht fiebrig heiß war, auch der Puls ging regelmäßig. Also wartete er ab, bis Elena kam.

Die Italienerin war nicht so zimperlich mit ihren Weckversuchen, denn wie alle Pflegerinnen war sie in ewiger Zeitnot. Doch sie gab bald auf.

»Soll noch ein bissele schlafen, ist nicht krank. Ich mache Opa frisch hier im Bett«, sagte sie und tat nur das Nötigste.

Gleich nachdem seine Eltern und dann auch Elena das Haus verlassen hatten, besorgte sich Max die *Rhein-Neckar-Zeitung* und studierte aufgeregt die lokalen Nachrichten. Tatsächlich fand er gleich, was er suchte, die fettgedruckte Überschrift war nicht zu übersehen:

Leichenfund in Schrebergartenkolonie

Heidelberger Polizei und Brandspezialisten ermitteln

In einer teilweise ausgebrannten Laube im Gewann Berghof haben Rettungskräfte am frühen Sonntag eine Leiche gefunden. Es ist mit Sicherheit davon auszugehen, dass es sich um ein Verbrechen handelt. Der Tote, dessen Identität bekannt ist, befand sich dank des schnellen Einsatzes der Feuerwehr in einem nur leicht verkohlten Zustand und hatte ein zu einem Knebel geformtes Taschentuch im Hals stecken. Genaue Ergebnisse werden erst nach der Obduktion erwartet, doch der Tod ist nach aller Wahrscheinlichkeit durch Ersticken eingetreten und nicht durch eine geringfügige Schussverletzung.

Ein in unmittelbarer Nähe abgestellter Polo konnte nach Angaben der Polizei dem Opfer zugeordnet werden. Ein Racheakt aus dem kriminellen Milieu ist nicht auszuschließen.

Zeugen, die zur fraglichen Zeit Auffälligkeiten beobachtet haben, insbesondere eine türkische Familie und ein jüngeres Paar, werden gebeten, sich unverzüglich mit der Polizei in Verbindung zu setzen.

War das wirklich Pit Bull, den man da gefunden hatte? Max stutzte. Nur von einer leichten Schussverletzung war die Rede, stattdessen aber von einem Knebel im Mund. Hatte die Polizei geschlampt oder eher der Reporter? Am liebsten hätte er Jenny angerufen, aber sie hatten ausgemacht, nicht per Handy über Pit Bull und sein Ende zu sprechen. Max schnitt den Artikel aus und warf die restliche Zeitung in die Mülltonne. Schnell sah er noch nach dem Großvater, aber der schlief weiterhin den Schlaf des Gerechten.

Etwas unsicher, weil Jenny ihn bisher nie in ihre Wohnung gelassen hatte, setzte sich Max ins Auto und fuhr zu ihr. Er konnte sich ja als Postbote ausgeben, falls ihre neugierigen Nachbarn durch den Spion linsten.

Jenny öffnete die Tür nur einen Spalt und schien nicht erfreut über den frühen Besuch. Sie trug einen fleckigen Bademantel, die Haare waren zerwühlt, die Zähne noch nicht geputzt. Nur ungern ließ sie Max herein, und auch nur bis in die winzige Küche.

Max setzte sich auf eine Bank neben eine altmodische große Babypuppe aus Zelluloid, die einen gehäkelten Strampelanzug trug. Er lächelte ein wenig, weil seine Schwester eine elegant gekleidete Schneiderbüste in ihrem Berliner Zimmer aufgestellt hatte, während bei ihm selbst eine Buddha-statue auf dem Schrank hockte. Das seien die Gartenzwerge der jungen Generation, hatte sein Vater gespottet.

Jenny las den Zeitungsartikel zweimal und warf Max einen Blick zu, den er nicht ganz deuten konnte.

»Was hältst du davon?«, fragte er.

Da begann sie zu weinen.

»Ich konnte nicht anders«, schluchzte sie. »Er kam auf einmal wieder zu sich!«

»Ich verstehe nur Bahnhof!«

Max sah sich suchend nach einer Packung Tempos um, aber sie zog bereits ein giftgrünes Tüchlein aus der Tasche des Bademantels.

Nach anhaltendem Schniefen und Schneuzen war sie endlich dazu imstande, etwas präziser zu berichten. Als Max den Polo suchen ging, war sie mit dem toten Pit Bull allein. Plötzlich habe er sich bewegt und Töne von sich gegeben. Vor Angst und Entsetzen hatte sie ihm ihr Taschentuch in den Mund gestopft und schleunigst den Plastiksack über den Kopf gezogen.

»Und dann?«, fragte Max.

Jenny zitterte wie Espenlaub. »Er hat ganz eklig geröchelt«, wimmerte sie, »aber als du wieder da warst, war er still.«

Auch Max wurde still, denn langsam begriff er die Tragweite ihrer Worte. Die Situation sah jetzt völlig anders aus: Nicht der verschrobene Großvater hatte Pit Bull aus Versehen zur Strecke gebracht – Jenny hatte ihn getötet. Vielleicht wäre der Kerl noch zu retten gewesen? Die Sache begann Max allmählich über den Kopf zu wachsen. Warum hatte sie den völlig wehrlosen Pit Bull erstickt?

Mit verweinten Augen sah Jenny ihn an. Da begriff Max endlich: »Er hat dich damals vergewaltigt!«

»Sie werden mich kriegen«, jammerte Jenny, »meine Fingerabdrücke, mein Taschentuch…«

Max nahm sie in die Arme. »Du hast ein Alibi, weil du die Nacht bei mir verbracht hast!«, tröstete er sie.

Doch ganz geheuer war ihm die Sache nicht. Er stand auf, um lieber heimzufahren und nach dem Alten zu schauen.

20

Kommissar Ronald Melf hörte sich geduldig an, was sein Freund Harald Knobel über den zweiten Anruf des Erpressers berichtete. Dann meinte er:

»Der Einbrecher, der neulich bei euch die Treppe hinuntersegelte, war eher eine Witzfigur – der schreibt bestimmt keine Drohbriefe. Ein kleiner Dieb und gescheiterter Zuhälter. Der Trottel behauptet, er sei mit deinem Sohn befreundet, eine dümmere Ausrede kann man sich kaum ausdenken.«

»Ist schon fast vergessen, der hat seine Strafe ja weg und wird bestimmt nicht wiederkommen. Viel wichtiger ist, ob ihr mit dem Erpresser einen Schritt weitergekommen seid?«

»Wir überprüfen gerade, welche Anlieger von Hauptstraße und Marktplatz zu den notorischen Querulanten gehören. Den ersten Anruf bei Petra konnten wir im Übrigen nicht nachverfolgen, weil er von einem Apparat am Frankfurter Hauptbahnhof getätigt wurde. Aber wir haben bereits einen Verdächtigen im Visier, dessen Namen ich noch nicht verraten möchte. Ein verquaster, aber harmloser Zeitgenosse, der die hiesige Presse gern mit

Leserbriefen bombardiert. Wir werden ihn im Auge behalten, also mach' dir keine Sorgen.«

In Wahrheit machte Harald sich mehr Sorgen um den eigenen Sohn als um einen fremden Spinner. Unterhielt jener Horst Müller vielleicht doch dubiose Kontakte zu Max, vielleicht als Dealer? Harald entschied sich, lieber den Mund zu halten. Das eigene Nest wollte er auf keinen Fall beschmutzen. Bisher hatte Harald überall das Idealbild einer glücklichen Familie verbreitet. Warum sollten daran Zweifel auftauchen?

Vielleicht könnte er seinen Sohn einmal für ein gemeinsames Wochenende am See begeistern: angeln, grillen, Gespräche unter Männern. Die Versorgung des Alten würde Petra sicherlich übernehmen, sie hatte es ja auch getan, als Max seine Schwester in Berlin besuchte.

Petra freute sich sehr, als sich ihr Liebhaber nach längerer Abstinenz in der Mittagspause blicken ließ. Sie sah auf der tickenden Wanduhr, dass eine volle Stunde vor ihnen lag.

»Denk dir«, sagte sie und lachte herzlich, »ich war mit Harald übers Wochenende in Baden-Baden. Nachts habe ich dort immer wieder nach Jupiter gerufen. Offenbar habe ich dich in meinen Träumen schmerzlich vermisst.«

Jupiter aber fand diese schmeichelhafte Anekdote überhaupt nicht komisch, sondern ergriff zaghaft ihre Hand. Jetzt würde mit Sicherheit der Satz »Ich muss dir etwas sagen« kommen, sie wusste es im Voraus. Und tatsächlich kam die alte Leier: Seine Frau sei bei ihm, und sie wollten es, vor allem wegen der Kinder, noch einmal miteinander versuchen.

»Okay«, meinte Petra nur. »Es ist also aus. Das passt ja ausgezeichnet, denn ich sehne mich schon lange nach einem temperamentvolleren Freund.«

Sie stand ruckartig auf, ging voraus und machte sehr schnell die Ladentür hinter ihm zu. Dann brach sie an ihrem Schreibtisch in Tränen aus.

»Scheißmänner!«, schluchzte sie gedemütigt. Unerträglich, dieses verlogene Getue wegen seiner Kinder, die das elterliche Nest längst verlassen hatten. Plötzlich dachte sie mit großer Sympathie an Harald, der sich nie so ekelhaft benehmen würde. Die kleine Perlenkette, die er ihr in der Baden-Badener Hotelboutique gekauft hatte, war edel und wunderschön.

Max versuchte unterdessen erneut, seinen schlafenden Großvater zu wecken. »Musse mehr trinke«, hatte Elena geraten. Also war Trick siebzehn wieder angesagt: Max stellte mittels elektrischer

Bedienung das Kopfteil des Bettes in schnellem Wechsel hoch und tief, bis der Alte ein wenig blinzelte. Sofort hielt er ihm ein Glas Wasser unter die Nase und befahl: »Trinken!«

Tatsächlich öffnete der Opa gehorsam den Mund und nahm einen kleinen Schluck zu sich, das Spiel begann von neuem, und nach vielen unverdrossenen Wiederholungen war das Glas leer. Max versuchte es auch gleich noch mit der lebensrettenden Puddingkur. Es klappte wie geschmiert. Nach zwei leeren Bechern waren Großvater und Enkel zwar leicht erschöpft, aber hochzufrieden. Der Alte setzte sogar zum Sprechen an: »Hab' wohl lange geschlafen?«

»Ja, Opa, wie fühlst du dich jetzt?«

»Ausgezeichnet, ganz famos. Was gibt es zum Mittagessen?«

Der Nachtisch war zwar jetzt zur Vorspeise geworden, aber das tat dem Appetit des Alten keinen Abbruch. Sie einigten sich auf zwei Spiegeleier mit Spinat und unterhielten sich eine ganze Weile völlig vernünftig. Das Abenteuer der Samstagnacht schien der Alte verdrängt oder vergessen zu haben. Max atmete auf, weil Jenny mit dem Sedativum recht behalten hatte, sein Opa schien nach sechzehnstündigem Tiefschlaf wieder klar zu sein.

Seltsam, dachte Max, wie mir dieser alte Mann

ans Herz gewachsen ist. Als der Großvater noch in Dossenheim gewohnt hatte, war Max vor allem wegen der großzügigen Entlohnung zu ihm gekommen.

Es heißt ja, dass die Pflege eines Kleinkindes etwas völlig anderes sei als die eines betagten Menschen. Abgesehen von der Größe der Pampers und dem Gewicht ihrer Inhaber, machen Babys ständig Fortschritte, bei den Alten ist das Gegenteil der Fall. Und doch gibt es eine Parallele bei der Pflege, nämlich die Entwicklung einer immer engeren Bindung. Andererseits las man zuweilen, dass alte Leute von überforderten, schlimmstenfalls sadistischen Angehörigen oder Heimpersonal gequält oder gar umgebracht wurden. Max konnte das überhaupt nicht verstehen. Sein Entschluss, eine Ausbildung als Altenpfleger zu beginnen, wurde immer konkreter.

Jenny hatte ihn allerdings mehr als einmal gewarnt: »Das ist kein Beruf, den du am Feierabend wie einen schmutzigen Overall in die Waschmaschine steckst. Man braucht nicht nur Muskeln, sondern auch charakterliche Stärke. Du erlebst Krankheit, Schmerzen und Tod deiner Alten. Und es gibt natürlich auch alte Leute, die bösartig sind, geizig, undankbar, ewig unzufrieden und misstrauisch. In dieser Hinsicht ist dein Großvater ein

Juwel! Ich habe nie gehört, dass er herumstöhnt, wie beschissen heute alles ist und wie viel besser es früher war ...«

»Doch, das tut er manchmal, vor allem vor dem Fernseher«, widersprach Max. »Aber es stört mich nicht weiter. Das ist halt so seine Art.«

Dieses Gespräch kam Max wieder in den Sinn, als er über Jenny nachdachte. War Jenny wirklich nur cool gewesen, als sie rauchend vor dem Polo stand und auf ihn wartete? Oder vielmehr kaltherzig?

Er hatte sich in sie verliebt, weil sie frisch, fröhlich und frei war. Dann wurde sie zur Geheimnisvollen, in deren Vergangenheit es dunkle Flecken gab. Doch in welche merkwürdigen Verstrickungen war er jetzt erst hineingeraten?

Hätte er sich doch nie mit Falko eingelassen oder ihn sofort hochgehen lassen, statt monatelang zu blechen. Und seinem Opa hätte er auf keinen Fall die Pistole bringen dürfen. Doch für Reue war es zu spät. Er konnte nur hoffen, dass Falko seinen Denkzettel weghatte und ihn endgültig in Ruhe ließ. Es konnte allerdings auch sein, dass alles noch schlimmer wurde. Wenn Falko nämlich etwas von dem Verbrechen im Hause Knobel ahnte, konnte er Max umso leichter erpressen.

Petra war begreiflicherweise schlechter Laune, als sie an diesem Montag ohne angenehme Mittagspause von der Arbeit zurückkam. Aber sie hatte sich fest vorgenommen, es nicht an ihrer Familie auszulassen. Im Gegenteil, sie wollte heute besonders gut kochen und ausnahmsweise dem Alten etwas übrig lassen. Gefüllte Paprikaschoten mit Reis, wie sie ihre Schwiegermutter früher im Programm hatte, das würde Harald sicherlich freuen. Mit ihrem Mann kam sie schon klar, aber aus ihrem Sohn wurde sie in letzter Zeit nicht schlau; gelegentlich schien er auf Wolken zu schweben, dann wieder war er bedrückt und geistesabwesend. Vielleicht war es schon wieder vorbei mit der Liebschaft ihres Sohnes? Sie beschloss, Mizzi anzurufen und auszuhorchen.

»Was hattest du eigentlich für einen Eindruck von Max?«, fragte Petra rundheraus. »Er ist und bleibt unser Sorgenkind!«

»Ich dachte immer, das wäre ich«, meinte Mizzi. »Schließlich werde ich euch wohl nie einen Säugling präsentieren. Bei Max habt ihr bessere Chancen, denn Frauen in pflegenden Berufen sind ja meistens scharf auf Babys.« Mizzi hätte sich beinahe verplappert.

Petra stutzte. »Hat er denn eine feste Freundin? Uns sagt er ja nichts!«

»Frag ihn lieber selbst. Aber wenn er wirklich Altenpfleger wird, dann ist er umgeben von lauter weiblichen Wesen mit Muttertrieb. Die allerbesten Voraussetzungen!«

Mehr war aus Mizzi nicht herauszukriegen, aber bei Petra war der Groschen gefallen. Pflegende Berufe? Es musste wirklich Jenny gewesen sein, deren Stimme sie neulich mitten in der Nacht gehört hatte. Klar, dass die beiden das nicht gerade ausposaunen wollten. Petra nahm sich vor, zu Jenny etwas freundlicher zu sein.

Harald geriet ganz aus dem Häuschen über die gefüllten Paprikaschoten, die allerdings nicht ganz so schmeckten wie in seiner Kindheit. Petra hatte das Hackfleisch mit Reis gestreckt, während es bei seiner Mutter eingeweichte alte Brötchen waren. Resteverwertung war aus der Mode.

Max hatte in der Küche bereits eine Portion für den Opa abgezweigt, die er nach dem Abendessen nach oben trug.

Eigentlich hatte der Alte schon sein Brot gegessen, aber jetzt verlangte er sogar einen Nachschlag, womit Max leider nicht dienen konnte.

»Fast besser als von Ilse«, sagte er, »aber irgendetwas ist anders. Junge, hast du das gekocht?«

»Das war Mama«, sagte Max. »Opa, was hältst du eigentlich von meinem Plan, Altenpfleger zu werden? Und vielleicht sollte ich bei dieser Gelegenheit auch endlich ausziehen. Aber ich kann dich ja nicht gut allein lassen.«

»Mensch«, sagte der Alte, »du bringst mich auf eine tolle Idee. Wir beide ziehen zusammen aus.«

Max lachte, dann stellte er die uralten, braunbeige karierten Kamelhaarschlappen vors Bett, drückte dem Alten die Fernbedienung in die Hand, machte die Nachttischlampe an und die Deckenleuchte aus und wünschte eine gute Nacht.

21

Der Juni begann ungewöhnlich heiß. Nicht nur die polnischen, selbst die türkischen Arbeiter auf der Baustelle der Tiefgarage stöhnten. Unter der Erde war es kühl gewesen, doch umso schockartiger traf Harald das grelle Sonnenlicht beim Auftauchen in die Oberwelt und beim Einsteigen in seinen aufgeheizten Wagen. Die Begehung mit zwei Architekten und dem Bauunternehmer war anstrengend, aber effektiv gewesen, alle Termine konnten bis jetzt eingehalten werden. Harald legte seinen weißen Schutzhelm auf den Beifahrersitz und wischte sich den Schweiß von der Stirn. In atemberaubendem Tempo fraßen sich Bohrer und Schaufeln durch die Bodenschichten. Dauerhaftigkeit und Gebrauchstauglichkeit eines solchen Großprojekts stellten hohe Anforderungen an Planung und Ausführung, aber das fertige Werk sollte die Krönung seiner Laufbahn werden. Die Kosten würden letzten Endes die errechneten Ausgaben übersteigen, doch das war heutzutage die Regel. Wenn nicht die Sorge um seinen Sohn gewesen wäre, hätte sich Harald in diesen Tagen als Erfolgsmensch gefühlt.

Gestern hatte er Max gefragt, ob er zufällig einen Horst Müller, auch Falko genannt, kenne. Der Junge hatte sich etwas unsicher verhalten, mit den Schultern gezuckt und gefragt, wie dieser Typ denn aussehe. Eine ausweichende Reaktion war zwar vorhersehbar, aber offenbar hatte Harald einen Nerv getroffen: Max wurde über und über rot.

»Von Ronald Melf habe ich erfahren, dass dieser Falko gar nicht stehlen, sondern dich besuchen wollte«, erklärte Harald. »Ich möchte wissen, ob da irgendetwas dran ist ...«

»Eigentlich nicht«, sagte Max und machte sich schleunigst aus dem Staub. Eigentlich doch, dachte Harald und überlegte, ob und wie man den Urin seines Sohnes heimlich untersuchen lassen sollte. Doch lieber wollte er seinen Jungen ohne Umschweife fragen, ob er Drogen nehme und Falko sein Dealer sei.

Als Harald ins Büro trat, legte ihm seine Sekretärin ein Einschreiben auf den Tisch. Ein Bewohner der Hauptstraße meldete einen Spalt in der Hauswand, der auf die unterirdischen Baumaßnahmen zurückzuführen sei.

»Da sieh mal einer an! Die Nr. 74 ist ein verlottertes Anwesen, abbruchreif und völlig marode«, stellte Harald fest. »Ich bin fast hundertprozentig sicher, dass dieser Riss schon seit Jahren besteht. Also muss mal wieder ein Gutachter her, denn Vorher-Nachher-Fotos liegen wohl kaum vor. Wie lästig!«

Einen Moment lang dachte Harald, der Schreiber dieser Zeilen könnte gleichzeitig der Erpresser sein, aber er verwarf diesen Gedanken wieder. Hier wollte jemand nur Geld schinden.

Da kam ihm der letzte Drohbrief in den Sinn. Seltsam, dass sein Freund Jürgen, der schließlich Chef des Bauunternehmens war, bisher verschont worden war. Der Schreiber war bestimmt kein Profi. Vielleicht wollte er sich bloß wichtig machen? Schließlich hatte er kein Geld verlangt, sondern nur den sofortigen Stopp des Ausschachtens. Gefahr für Haralds Familie ging wohl kaum von diesem Windmacher aus.

Er seufzte tief auf, als es kurz an die Tür klopfte, seine Sekretärin »Mahlzeit« rief und entschwand. Harald schaute auf die Uhr, richtig – es war Mittag. Er war durstig und hatte wenig Lust auf den lauwarmen Kaffee aus dem Automaten oder gar abgestandenes Mineralwasser aus dem Vorratsschrank. Bei dem herrlichen Wetter musste ein kühles Bier her, und zwar an der frischen Luft! Schade, dass er sich nicht mit seinem Spezi verabredet hatte. Jürgen war leider nicht zu erreichen. Vielleicht war er

noch unter der Erde und hatte keinen Mobilfunk-
empfang. Aber machte nicht um diese Zeit auch
Petra ihre Mittagspause? Sie wollte die kurze Span-
ne meistens für ein Nickerchen nutzen und nicht
gestört werden. Er versuchte es trotzdem. Petra
war sofort am Handy, und er hörte ein müdes: »Ja,
bitte?«

»Ich bin's, Harald. Hab' ich dich etwa geweckt?«

»Nein, ich mach' gerade Umsatzsteuer. Ist was
passiert?«

»Die Sonne scheint!«

»Das sehe ich auch«, sagte Petra verdrossen, ließ
sich aber von Harald dazu überreden, den Büro-
kram liegenzulassen und ihn in einem Bistro auf
dem Lindenplatz zu treffen.

Harald bestellte ein großes Bier, Petra einen
frischgepressten Orangensaft und einen Schwarz-
waldbecher: Vanilleeis mit Kirschen und Schoko-
ladensauce. Die Einladung ihres Mannes zu einem
Rendezvous gefiel ihr, ihre gereizte Stimmung war
verflogen. Eine Weile genossen beide das heitere
Frühsommerwetter und plauderten unbeschwert
miteinander.

Thema war der geplante Urlaub im September.
Mit Schrecken erinnerten sie sich daran, wie sie
zum ersten Mal ohne Kinder in die Toskana gefah-

ren und unterdessen zu Hause wilde Partys gestiegen waren. Sämtliche Weingläser waren zu Bruch gegangen. Diese Zeiten waren zum Glück vorbei.

»Es hat doch alles sein Gutes«, sagte Harald. »Seinen Opa wird Max nicht im Stich lassen, da fühlt er sich voll verantwortlich. So steht das Haus wenigstens nicht leer.«

»Ich glaube, ich habe meine Sonnenbrille vergessen«, murmelte Petra plötzlich und wühlte in ihrer Handtasche. Hatte sie nicht gerade die Stimme des Erpressers gehört? Seltsamerweise klang die hier draußen genauso verzerrt wie am Telefon. Petra sah sich vorsichtig um und entdeckte hinter Haralds Rücken ihren ehemaligen Romeo, der drei Tische weiter mit seiner Familie an einem Tischchen saß. Sie lauschte angestrengt, und tatsächlich machte der jüngere Sohn erneut den Mund auf. Jetzt war sie sich sicher: Das war er.

»Was starrst du so gebannt über mich hinweg?«, fragte Harald und drehte sich um.

»Ach nichts, mir war so, als sähe ich eine Kundin«, stotterte Petra. Falls ihr Verdacht richtig war, ergab sich eine völlig neue Perspektive.

»Klar«, meinte Harald, »du kennst schließlich die halbe Stadt, mir geht es nicht anders. Zum Beispiel sitzt drei Tische weiter – schräg hinter mir –

ein junger Mann im rosa Hemd. Aber guck jetzt nicht so auffällig hin! Der macht bei uns eine Ausbildung zum Verwaltungswirt, der Vater ist Lehrer am Gymnasium. Netter, fleißiger Junge, Max sollte sich ein Beispiel an ihm nehmen.«

Petra schob den Stuhl zurück, flüsterte, sie müsse mal und begab sich ins Lokal. Beim Herauskommen hatte sie den bewussten Tisch besser im Blick. Sie kannte weder Jupiters Frau noch seine beiden Söhne und war auf einmal wahnsinnig neugierig. Endlich konnte sie seine heilige Familie aus nächster Nähe betrachten! Und sie konnte es nicht lassen, ihren früheren Lover ein wenig zu provozieren. Auf dem Rückweg verfehlte sie absichtlich den eigenen Tisch, streifte den Stuhl der fremden Frau und sagte gut hörbar: »Sorry, aber Jupiter ging permanent fremd.«

Wie auf ein Stichwort wurde der Treulose krebsrot, sprang hoch und zischte wütend: »Was erlauben Sie sich!«

Seine Frau blickte verwirrt in die Runde, doch Petra saß längst wieder neben ihrem Harald. Der nette, junge Mann aber zeigte ihr über drei Tische hinweg den Stinkefinger. Harald hatte von alldem nichts mitgekriegt und schlug vor, im Sommer öfters ein Bierchen zusammen zu trinken.

Jupiters Sohn also! Der hatte wohl gerüchteweise gehört, dass ausgerechnet Haralds Freund den Zuschlag für den Bau der Tiefgarage bekommen hatte. Wenn er vom Verhältnis seines Vaters zu der Buchhändlerin Knobel ebenfalls Wind bekommen hatte, gab er womöglich Petra die Schuld an der Trennung seiner Eltern und wollte ihr eins auswischen. Die Anrufe galten demnach gar nicht dem Leiter des städtischen Tiefbauamtes, sondern ihr!

Bis zu ihrer Buchhandlung war es nicht weit. Auf dem Rückweg versuchte Petra, sich die Frau ihres Liebhabers in Erinnerung zu rufen, aber sie sah nur ein kariertes Kleid vor sich und kein Gesicht. Ich bin eine blöde Kuh, dass ich auf Jupiter reingefallen bin, und sie ist es auch, sagte sich Petra und schloss die Ladentür auf.

Als Max dem Großvater das Abendessen bringen wollte, rief dieser: »*Noli turbare circulos meos!*«

Max bekam einen Schrecken, sollte der Alte schon wieder spinnen? Aber der lachte bloß, übersetzte den Spruch – *Störe meine Kreise nicht* – und erklärte, dass er ein neues Testament aufsetzen und dabei nicht unterbrochen werden wolle.

»Nicht zu deinem Schaden!«, sagte er geheimnisvoll und schob ein Blatt Papier unter sein Kopfkissen. Na gut, dachte Max, spätestens wenn er im

Bad ist, kann ich einen Blick darauf werfen. Dann werden wir ja sehen, ob er wieder spinnt.

Der Großvater hatte sein Brot eben fertig gemümmelt, als Heidi, eine etwas wehleidige Pflegerin von der gewichtigen Sorte, eintrat. Sie wackelte mit dem Alten ins Badezimmer, und Max schnappte sich das neue Testament.

Meinem Enkelsohn Max Knobel vermache ich für treue Dienste mein…

Mehr hatte der Alte noch nicht geschrieben, schade. Max legte das Papier wieder unters Kissen. Das neue Testament konnte alles oder nichts beinhalten. Vielleicht vermachte ihm Opa noch mehr alte Schwarten oder einen der guten Anzüge mit Mottenlöchern. Aber wie wäre es mit: *Mein gesamtes Vermögen*? Wahrscheinlich war das bloß ein Wunschtraum, denn seinem Vater und seiner Tante würde als den nächsten Angehörigen zumindest der Pflichtteil zustehen. Lieber keine falschen Hoffnungen, sagte sich Max und schwang sich ins Auto, um dem Elternhaus für einige Stunden den Rücken zu kehren.

22

Sollte sie den Stier bei den Hörnern packen und dem Erpresser einen geharnischten Brief schreiben?, überlegte Petra unterdessen. Bei ihrem sanftmütigen Max hatte sie sich nie richtig getraut, ein gewaltiges Donnerwetter loszulassen. Vielleicht glückte es bei dem fiesen Sohn ihres Ex-Lovers.

Doch ein Brief konnte jederzeit in falsche Hände geraten, als Beweisstück auf dem Tisch der Eltern landen und vor allem die versöhnungsbereite Mutter in Konflikte stürzen. Außerdem könnte der Sohn alles abstreiten, und die fremde Familie würde diesen Brief als Rachefeldzug einer abgehalfterten, hysterischen Geliebten abtun.

Die Nummer des Erpressers war schnell ermittelt. Er wohnte in der Fußgängerzone, aha! – nicht weit von ihrem Laden. Am Abend, als Max im Kino war und Harald vor dem Fernseher saß, zog sie sich zum Telefonieren ins Schlafzimmer zurück.

»Hier ist Petra Knobel, die Sie bereits zweimal angerufen und bedroht haben«, begann sie und wartete, denn am anderen Ende hörte sie nur ein verhaltenes Atmen.

»Was wollen Sie eigentlich? Ich kenne Sie nicht und weiß nicht, wovon Sie reden«, antwortete schließlich eine unsichere, aber bekannte Stimme.

»O doch«, sagte Petra. »Und Sie irren sich gewaltig, wenn Sie meinen, dass ich die Ehe Ihrer Eltern zerstört hätte. Die hatten sich nämlich schon lange nicht mehr vertragen. Außerdem ist die Affäre längst vorbei.«

»Sie reden Unsinn …«, sagte der junge Mann.

»Nein, jedes Wort ist wahr. Ich nehme an, Ihre Mutter hat keine Ahnung von meiner kurzen Beziehung zu Ihrem Vater. Es wäre doch zu schade, wenn sie jetzt noch davon erführe. Falls Sie also weiter versuchen, mich oder meine Familie zu terrorisieren, lasse ich die Bombe platzen und zeige Sie an. Und glauben Sie mir, ich werde dafür sorgen, dass Sie sich schleunigst nach einem neuen Ausbildungsplatz umsehen müssen!«

»Sie können mir gar nichts beweisen«, stotterte der verunsicherte Junge. Petra legte auf und war sehr zufrieden mit sich. Diesem saudummen Schnösel hatte sie hoffentlich endgültig das Maul gestopft. Wenn sie doch nur einmal dazu fähig wäre, ihre mütterliche Autorität derart effektiv beim eigenen Sohn einzusetzen!

Als organisatorisch erfahrene Haus- und Geschäftsfrau hatte Petra sich bereits schlaugemacht, wie und wo man eine Ausbildung zum staatlich geprüften Altenpfleger beginnen konnte. Am Ende der praktischen und theoretischen Schulung musste eine Prüfung in Gerontologie, Alten- und Krankenpflege, Aktivierung und Rehabilitation, Gesundheits-, Krankheits- und Arzneimittellehre sowie in Psychiatrie abgelegt werden. Ob das wirklich das Richtige für ihren Max war? Immerhin schien ihm ein praxisbezogener sozialer Beruf mehr zu liegen als das Büffeln an einer Universität. Oder war ihr Sohn bereits im Gymnasium überfordert gewesen, und Harald und Petra hatten eher ihre eigenen Wünsche als das Glück ihres Kindes verwirklichen wollen?

Andererseits – Max war doch kein Dummkopf! Wenn ihr Schwiegervater nicht in ihrem Haus gelandet wäre, hätte sich ihr Sohn niemals für den Beruf eines Altenpflegers erwärmt. Im Grunde war der Alte an allem schuld. Er musste aus dem Haus, in ein Heim, dann war endlich Ruhe im Karton. Wenn Harald und Max angeln gingen, konnte Petra endlich eine Razzia im Zimmer ihres Sohnes durchführen und herausfinden, ob dort tatsächlich Drogen gebunkert wurden, wie Harald befürchtete.

Der Angelausflug an den See wurde für das übernächste Wochenende geplant; Max war nicht gerade begeistert vom Angebot seines Vaters gewesen. Ob er nicht lieber mit der Mutter angeln wolle, hatte er gefragt, die esse doch gern Fisch. Aber Petra hatte abgewinkt: eine Hütte ohne Spülmaschine, ein Dorf ohne Geschäfte, wahrscheinlich ein Strohsack als Matratze – nein, danke! Also hatte Max ergeben zugestimmt, er wollte seinem Papa ja nicht den Spaß verderben.

Seit er sechzehn war, musste Max sein Zimmer selbst aufräumen und putzen. Im Gegenzug verbat er sich das elterliche Betreten seiner Höhle. Auch für alle bisherigen und künftigen Haushaltshilfen galt absolute Eintrittssperre. Vielleicht war das ein Fehler, dachte Petra. Wenn ein Jugendlicher jahrelang über ein sturmfreies Zimmer verfügte, dann eignete es sich ausgezeichnet als Drogendepot. Am Ende trafen sich Dealer und Abnehmer ungeniert hier im Haus, wurden durch die Garage eingeschleust, und die arglosen Eltern hatten keine Ahnung von dem Treiben. Biedermann und die Brandstifter, seufzte sie.

Bei dieser Horrorvorstellung wollte Petra gar nicht mehr bis zum Angelwochenende warten, sondern möglichst schnell eine gründliche Durchsuchung vornehmen. Die Gelegenheit ergab sich schon bald, denn Max pflegte mehrmals in der Woche ins Kino zu gehen.

Als Petra mit schlechtem Gewissen die Tür aufmachte, kam ihr auf den ersten Blick alles erstaunlich aufgeräumt und sauber vor. Natürlich hatte sie das Zimmer ihres Sohnes dann und wann betreten, aber nur, wenn sie ihn dort vermutete. Nicht immer hatte es so gepflegt gewirkt wie jetzt, wahrscheinlich wegen Jenny.

In den Schubladen oder zwischen der Wäsche lagerten keine Plastiktütchen mit weißem Pulver oder anderen verdächtigen Substanzen. Selbst in uralten leeren Filmdosen steckte kein Haschisch, ebenso ließen sich keine dubiosen Pillen in Jackentaschen und Schuhen entdecken. Nur Präservative waren in ausreichender Menge vorhanden, was Petra mit einer gewissen Erleichterung feststellte. Ein aufgeschlagenes Lehrbuch für Altenpflege lag auf dem Sessel. Offenbar brauchte man sich in Sachen Drogen keine Sorgen um den Sohn zu machen, dachte sie, Harald war manchmal übertrieben ängstlich.

Bevor Petra das Zimmer verließ, schaute sie noch rasch unters Bett. Eine schwere Eisenstange? Wofür brauchte Max einen Totschläger? Kurz entschlossen legte sie sich auf den abgewetzten Perser, um noch genauer in den dunklen Bereich spähen zu können. Von dort fischte sie einen weiteren Gegenstand hervor: eine Schusswaffe.

Vor Schreck kam Petra kaum wieder in die Höhe und musste sich erst einmal setzen, der Mund wurde plötzlich trocken, das Herz flatterte. Der kleine Max, fast noch ein Kind, der keiner Fliege etwas zuleide tun konnte, den Wehrdienst verweigert hatte und Gewalt und Krieg verabscheute, versteckte eine Pistole – oder war es ein Revolver? – unter seinem Bett! Waffenhandel? Wurde er bedroht und musste sich verteidigen? Er war womöglich in Todesgefahr!

Nachts hatte Petra einen Albtraum. Derselbe Falko, der schon einmal bei ihnen eingebrochen war, schlich sich, als Harald und Max am See weilten, im Schutz der Dunkelheit in die Garage. Aber diesmal benutzte er keine Treppe, blieb im untersten Geschoss und machte sich im Zimmer ihres Sohnes zu schaffen. Petra hörte verdächtige Geräusche, huschte leise ins Souterrain hinunter und überraschte den Eindringling, wie er die Matratze ihres Sohnes mit einem Messer aufschlitzte. In diesem Moment mutierte Petra zur Löwenmutter, die mit allen Mitteln ihr Junges verteidigt.

In Träumen geschehen manchmal Wunder. Ohne sich bücken zu müssen, hielt Petra plötzlich die Waffe in der Hand, zielte und drückte ab. Knall, Fall! Schon lag Falko am Boden, mausetot.

Harald wurde wach, weil seine Frau entsetzlich schrie, herumfuchtelte und ihn dabei traf. Behutsam weckte er die Träumerin und hörte sich geduldig ihre verworrene Geschichte an.

»Ich werde gleich wieder weiterschlafen«, schluchzte Petra, »und im Traum den Toten entsorgen müssen, aber ich weiß wirklich nicht, wohin damit...«

Harald machte das Licht an und strich seiner Frau über die schweißnasse Stirn.

»Kein Problem«, sagte er, ohne eine Miene zu verziehen. »Du kennst doch den Kanalschacht in der Tiefgarage? Der wird in den nächsten Tagen zugeschüttet, da ist noch viel Platz für die eine oder andere Leiche. Du weißt ja – dem Inschenjör ist nichts zu schwör, sagt Jürgen immer.«

Petra war besänftigt und schlief in den Armen ihres praktischen Mannes wieder ein.

Am nächsten Morgen suchte sie im Internet ein Gedicht von Heinrich Seidel, kürzte es, druckte es aus und legte es dankbar neben Haralds Kaffeetasse.

Dem Ingenieur ist nichts zu schwer!
Er überbrückt die Flüsse und das Meer.
Er türmt die Bögen in die Luft,
er wühlt als Maulwurf in der Gruft,
kein Hindernis ist ihm zu groß, er geht drauf los.
Was durch die Länder donnernd saust
und durch die fernen Meere braust,
das alles schafft und noch viel mehr
der Ingenieur.

23

Währenddessen grübelte der Alte über ganz anderen Problemen: Zu Hause hatte er ein altersgerechtes Telefon besessen. Er konnte die Lautstärke einstellen und die übergroßen Zahlen auf der Drehscheibe nach bewährter Methode rotieren lassen. Hier, im Haus seines Sohnes, gab es zwar einen mobilen Apparat, den Max ihm bei Bedarf brachte, aber der alte Mann konnte nicht damit umgehen. Als seine Tochter aus Australien anrief, verstand er kein einziges Wort, und auch mit seinem fast nie benutzten Hörgerät war nur ein Rauschen, Knistern oder Brummen zu vernehmen.

Willy Knobel hatte schon seit Wochen vor, einen Notar zu Rate zu ziehen. Aber machten diese Leute auch Hausbesuche? Der Alte hatte nicht vor, seine Pläne den Angehörigen jetzt schon auf die Nase zu binden. Also bat er Elena, ihm Papier, Umschlag und Briefmarke zu besorgen. Als er wieder allein war, begann er bedächtig, einen Brief zu formulieren. Sein früherer Nachbar war Rechtsanwalt, er schilderte ihm die Situation.

Sie wissen ja, dass ich mir das Bein gebrochen habe und inzwischen bei meinem Sohn wohne. Demnächst werde ich neunzig, kann nicht mehr telefonieren und das Haus nicht verlassen. Ist es möglich, eine Schenkung und ein Testament mit Hilfe eines Notars hier am Krankenbett aufzusetzen und schließlich auch beglaubigen zu lassen?

Elena warf den Brief ein, wenige Tage später zog sein Enkel das Schreiben eines Unbekannten aus dem Briefkasten und überreichte es dem Großvater. Natürlich blieb Max erwartungsvoll stehen, denn der Alte bekam fast nie mehr Post. Aber sein Großvater öffnete den Umschlag erst, als er allein war.

Gegen eine Gebühr machten Notare auch Hausbesuche, sie durften aber nur in ihrem Amtsgerichtsbezirk beurkunden, erfuhr er. Falls er damit einverstanden sei, wollte der frühere Nachbar einen Termin mit einem hiesigen Notar für ihn vereinbaren.

»Sag mal, Max«, fragte der Alte gutgelaunt, »ist diese Krankenschwester jetzt deine Freundin?«

Max betrachtete seinen Großvater mit kritischem Blick. Oben auf dem Kopf wuchs fast nichts mehr, aber aus der Nase und den Ohren stahlen sich schon wieder unappetitlich lange Haare hervor, dabei hatte Max sie erst kürzlich mit einem Nagelscherchen gestutzt.

Nach kurzem Überlegen beschloss er, seinem Opa reinen Wein einzuschenken. »Aber Jenny will auf keinen Fall, dass es ihre Kolleginnen oder meine Eltern erfahren. Es wäre also nett, wenn du mit niemandem darüber sprichst. Mizzi ist allerdings eingeweiht.«

»Freut mich, freut mich«, sagte der Opa und zwinkerte Max zu. »Ein gesunder junger Mann braucht schließlich eine Frau. Doch alles im Leben hat zwei Seiten. Es heißt zwar: Früh gefreit, hat noch nie gereut, aber auch: Doch prüfe, wer sich ewig bindet! Und außerdem: Liebe macht blind – *nemo in amore videt*. Also überleg es dir gut, bevor du vor den Altar trittst.«

»Opa, davon ist wirklich nicht die Rede. War Oma etwa deine allererste Freundin?«

Leicht verlegen angelte Willy Knobel nach den Zigarren und stellte fest, dass die Schachtel leer war.

»Nun ja, ich hatte mir vor der Ehe natürlich die Hörner abgestoßen. Ilse war jedoch die Erste, die ich wirklich liebte. – Junge, eines solltest du dir zu Herzen nehmen – mach ihr bloß nicht gleich ein Kind!«

»Ich lebe schließlich nicht hinterm Mond!«, protestierte Max.

»Wenn du mal wieder in Dossenheim bist, nimm dir doch van de Veldes Buch *Die vollkommene Ehe* zur Hand, es wird dir sicher in mancherlei Hinsicht die Augen öffnen…«

Manchmal konnte der Großvater richtig peinlich werden. Bereits im Teenager-Alter hatte Mizzi ihrem Bruder aus dem Aufklärungsbuch von 1926 vorgelesen, und beide hatten sich fast krankgelacht.

»Opa, wir haben ganz andere Probleme.«

»Na sag schon, vielleicht kann ich dir ja helfen.«

Fast hätte Max eine Andeutung über tätowierte Raubvögel, den toten Pit Bull und den erpresserischen Falko gemacht. Er schluckte es hinunter.

»Jenny hat eine schrecklich hellhörige Wohnung, ich darf sie dort nicht besuchen. Etwas anderes kann sie sich aber nicht leisten, denn Altenpflegerinnen werden nicht gerade fürstlich bezahlt, 10 Euro für die Stunde ist das Höchste. Und ich verdiene schließlich noch keinen Cent…«

»Verstehe«, sagte der Alte. »Und sie will nicht, dass deine Eltern sie mit dir erwischen. Da weiß ich zum Glück eine Lösung, die für uns alle vorteilhaft sein wird. Verlass dich nur auf deinen Großvater, der wird's schon richten.«

Max war sich da nicht so sicher, aber er wusste, dass der Alte stur sein konnte. Vielleicht hatte er ja ein Testament im Sinn, in dem die Enkelkinder großzügig bedacht wurden, vielleicht handelte es sich aber auch wieder um irgendeine Schnapsidee. Sein Vater hatte schon wiederholt über Entmündigung gesprochen, weil der Alte nicht mehr zurechnungsfähig sei.

Sie sahen sich an und sagten nichts mehr. Von wem hat der Junge bloß diese melancholischen Augen, dachte der Alte. Ob ich ihm jetzt sofort die Nasenhaare schneiden sollte, dachte der Junge.

In letzter Zeit war der Alte meistens freundlich gewesen und im wahrsten Sinne des Wortes pflegeleicht, doch gelegentlich schlug die Stimmung um.

»Ich mag nicht mehr! Glaubst du etwa, es sei angenehm, gewindelt zu werden wie ein Baby? Ständig angefasst zu werden wie ein Gegenstand? Um alles bitten zu müssen? Nicht mehr Auto fahren zu dürfen? Für bekloppt gehalten zu werden? Man hört und sieht und riecht und fühlt kaum noch. Und irgendetwas zwickt und schmerzt ja immer, man schläft unruhig und träumt vom Schützengraben, das Essen schmeckt fast nie. Eigentlich habe ich lange genug gelebt, es sollte jetzt reichen.«

Von Jenny wusste Max, dass sich Frauen leichter betreuen ließen als alte Männer. Die Greise hatten einen größeren Widerwillen gegen jegliche Unselbständigkeit und die Notwendigkeit der körperlichen Pflege durch einen Fremden, andererseits ließen sie sich gerne bemuttern. Das Schwanken zwischen Biestigkeit und Larmoyanz sei bei Frauen seltener. Insofern war der Großvater noch angenehm, denn seine zornigen Ausbrüche richteten sich vor allem gegen den Fernseher, weniger gegen das Pflegepersonal.

Manchmal redete der Alte nicht nur mit der toten Ilse, sondern auch mit sich selbst. Max hatte längst gelernt, das nicht gleich als Zeichen der Verwirrtheit zu deuten. Da der Großvater die letzten Jahre allein gelebt hatte, waren Selbstgespräche wohl zur Gewohnheit geworden. Zum Beispiel hörte ihn Max nach dem Mittagsschlaf regelmäßig sagen: »Steh auf, du alter Hund!«

Auf diesen Befehl hin griff sein Großvater ächzend, aber entschlossen nach dem Bettgalgen und zog sich hoch.

»Heute Nachmittag um vier erwarte ich dich in meinem Zimmer, ich bekomme Besuch«, sagte Willy Knobel und schaute Max mit wehmütiger Strenge an. Tatsächlich klingelte es um diese Zeit an der Haustür. Ein fremder Mann im Glencheck-Sakko trat ein, ließ sich von Max in das Zimmer des Alten führen und setzte sich an Mizzis kleinen Schreibtisch.

Der Alte hatte sich zuvor von Max schniegeln, striegeln und bügeln lassen – wie er sich ausdrückte – und saß mit Anstand und Würde dem Notar gegenüber. Trotz seines Fleece-Anzugs war er ganz der vornehme alte Herr, dachte Max bewundernd.

Nun wurden Papiere ausgebreitet, und Max wurde immer neugieriger. Irgendwann begriff er, dass sein Großvater ihm das Haus in Dossenheim schenken wollte und der Notar die Sache amtlich machte. An dieses großzügige Vorhaben war jedoch eine Bedingung geknüpft: Max sollte gemeinsam mit dem Großvater dort einziehen, und zwar unverzüglich.

»Auch für deine Freundin finden wir bestimmt ein schönes Zimmerchen«, sagte der Alte. »Doch das kommt jetzt nicht ins Protokoll.«

Der Notar reichte Max die Hand. »Ich gratuliere Ihnen«, sagte er. »In so jungen Jahren bereits Hausbesitzer, das gibt es nur selten.«

»Sie werden es vielleicht nicht sofort verstehen«, sagte Willy Knobel zum Notar, »aber dieses Haus soll mein Enkel bekommen, weil meine Kinder es nicht verdient haben.«

Und dann rechnete der Alte mit seinen Nachkommen ab: »Meine Tochter Karin sitzt weitab vom Schuss, ruft höchstens zweimal im Jahr an und quasselt dann über das Wetter in Australien. Im Grunde war ihr nur ihre Mutter wichtig. Und mein Sohn Harald will mich lieber heute als morgen aus dem Haus haben. Am Anfang tat er noch freundlich und bot mir einen guten Cognac an, aber damit war es schnell wieder vorbei. Die kriegen alle beide nur den Pflichtteil und keinen Cent mehr. *Summum ius, summa iniuria.*«

»Das strengste Recht ist die größte Ungerechtigkeit«, übersetzte der Notar. Anschließend wurde der Beschenkte entlassen, denn nun ging es um die Abfassung des Testaments.

Offensichtlich hatte sich Willy Knobel sehr aufgeregt. Als er wieder allein war, fing er aus voller Kehle an zu singen:

> *Und stechen mich die Dornen*
> *Und wird mir's drauß zu kahl,*
> *geb ich dem Ross die Sporen*
> *und reit ins Neckartal.*

Die Stimme des Großvaters war seit seinem Unfall sehr leise, ja gelegentlich fast unverständlich geworden. Wenn er verwirrt war, änderte sich sein Tonfall. Max wusste, dass dieser Gesang wohl der Beginn einer konfusen Phase war, brachte reichlich Mineralwasser und versuchte, so gut es ging, seinen Großvater zu beruhigen.

Was, wenn die Eltern den Großvater in seinem jetzigen aufgelösten Zustand nicht für voll nehmen und die ganze Aktion des Notars womöglich für ungültig erklären würden?

Max schlich sich noch einmal ins Zimmer des Alten, der mit hochrotem Kopf am Schreibtisch saß und vor sich hin plapperte.

»Ilse, am liebsten mag ich ja deine schönen Augen, weißt du noch...« Und er sang:

... Blauäuglein blitzen drein...

»Was ist das für ein Lied, Opa?«, fragte Max und nahm seinem Großvater den Krückstock aus der Hand, mit dem er wild in der Gegend herumfuchtelte, um den Takt zu schlagen.

»Ein Minimum an Bildung hätte ich schon von der Gattin eines Akademikers erwartet! Das musst du doch noch wissen! Victor von Scheffel«, sagte der Alte. »*Alt Heidelberg*. Hol endlich dein Akkordeon, Ilse.«

Max rief Jenny an, die sich etwas ärgerlich am

Handy meldete. Sie war gerade dabei, einer Schwerkranken das Nachthemd zu wechseln. Max bat sie darum, wieder etwas von jenem Sedativum mitzubringen, das beim letzten Mal so ausgezeichnet geholfen habe.

»Er fängt wieder an zu spinnen«, sagte er, »außerdem habe ich eine tolle Überraschung für dich!«

Am Telefon wollte er noch nichts verraten, aber er malte sich Jennys Freude aus, wenn er vom bevorstehenden Umzug nach Dossenheim und der Aussicht auf ein gemeinsames Haus berichten würde. Im Geist ging Max die Zimmer durch und überlegte, wie man alles am praktischsten einteilen könnte. Für den Alten sollte man das Schlafzimmer auf jeden Fall ins Erdgeschoss verlegen, damit er keine Treppen steigen musste. Die Küche und sein vertrautes Wohnzimmer sollten so bleiben; bestimmt konnte man die große Diele etwas verkleinern und mit dem gewonnenen Raum die kleine Toilette im Parterre mit einer Sitzbadewanne ausstatten. Max und Jenny würden je eines der ehemaligen Kinderzimmer im ersten Stock beziehen sowie ein gemeinsames Schlafzimmer mit einem Kingsize-Bett. Die Kosten für diverse Umbauten und Anschaffungen waren zwar nicht ganz zu überblicken, aber der spendable Opa würde sicherlich genügend Kohle beisteuern.

Als Petra und später auch Harald eintrafen, hatte der Großvater mit dem Singen immer noch nicht aufgehört. Besonders das lateinische Studentenlied *Gaudeamus igitur* war für Harald ein rotes Tuch.

Beim Abendessen knurrte Harald mit einem waidwunden Blick zur Zimmerdecke: »Das muss ein Ende haben, sonst drehe ich durch!«

»Ich auch«, sagte Petra.

»*Nos habebit humus!*«, schallte es von oben herunter.

Wahrscheinlich waren seine Eltern den Störenfried ja ohnedies bald los. Doch Max verriet noch nichts und zog es vor, schweigend den Tisch abzudecken und auf Jenny zu warten.

Seine Liebste zog ein Fläschchen mit dem Wundermittel aus der Handtasche, schwenkte es triumphierend und flitzte leichtfüßig nach oben. Erst als der Alte gut versorgt im Bett lag und langsam dösig wurde, fragte sie: »Und? Was wolltest du mir sagen?«

Absolut cool, dachte Max wieder. Seine neugierige Schwester oder gar seine Mutter hätten ihn angesichts einer angekündigten Überraschung gleich an der Haustür mit Fragen gelöchert. Aber die Frauen schienen doch nicht alle gleich zu sein.

Jennys Ausdruck war schwer zu deuten, sie sah

Max zwar sehr aufmerksam an, fiel ihm aber keineswegs um den Hals.

»Und wie viel Miete wird mich das kosten?«, fragte sie skeptisch und flocht dabei ihren Zopf, der sich aufgelöst hatte.

Max tat so, als müsse er überlegen, dabei hatte er sich längst eine Antwort zurechtgelegt.

»Vorerst einmal gar nichts, dann kannst du nämlich für den Hautarzt sparen. Wenn der Falke auf deinem Rücken verschwunden ist, können wir ja erneut verhandeln. Wie gefällt dir mein Angebot?«

Wieder zeigte Jenny nur mäßige Begeisterung und bat um Bedenkzeit. Wahrscheinlich war sie zu stolz, um sofort in eine Abhängigkeit hineinzuschlittern.

»Kannst du heute bei mir bleiben?«, fragte Max etwas zaghaft, denn es war über eine Woche her, dass sie mit ihm geschlafen hatte. Zu seiner Überraschung war sie einverstanden und gab ihm einen etwas flüchtigen Kuss.

24

Falko war nicht dumm, nur etwas schwer von Begriff. Nach geraumer Weile hatte er gemerkt, dass Max etwas mit Pit Bulls Verschwinden zu tun haben musste. Im Knast wurde, wenn auch mit unterschwelligem Wohlwollen, über die Gutmenschen gespottet, die sich um die Resozialisierung der Insassen bemühten. Profis auf diesem Gebiet waren Sozialarbeiter, Bewährungshelfer, Gefängnispsychologen, Ärzte und Pfarrer, für die man durchaus Hochachtung empfand, die man aber selten offen aussprach. Ein Häftling, den man wegen seiner akademischen Bildung den Professor nannte, sprach vom *Helfersyndrom* wie von einer Kinderkrankheit; dieses Wort war schließlich in aller Munde und wurde stets mit einem höhnischen Hahaha begleitet. Schließlich ging es gegen die Ganovenehre, wenn man zugab, dass die Gutmenschen Erfolg hatten. Das Ziel war bekannt:

Im Vollzug der Freiheitsstrafe soll der Gefangene fähig werden, künftig in sozialer Verantwortung ein Leben ohne Straftaten zu führen.

Aber was halfen Weiterbildung, Gruppengespräche, Ergotherapie und mühsam gefasste Vorsätze, wenn man nach der Entlassung in eine feindliche Welt hinaustrat? Die Frauen hatten einen Neuen, die Kinder waren Schulversager oder kriminell geworden, ein Arbeitsplatz war nicht in Sicht, meistens noch nicht einmal eine menschenwürdige Unterkunft.

Bisher war es leicht gewesen, Max auszunehmen. Aber der schien jetzt sein Helfersyndrom abgelegt zu haben und andere Saiten aufzuziehen. Er zahlte nicht mehr. Dabei war es ihm offenbar nicht schwergefallen, die 400 Euro monatlich hinzublättern. Reiche Eltern, das hatte man besonders gern.

Irgendetwas musste geschehen sein, ganz abgesehen von Falkos unrühmlicher Rolle beim Einbruch im Haus Knobel. Pit Bull, den er mit seinem Eisenrohr hingeschickt hatte, war auf mysteriöse Weise aus dem Weg geräumt worden.

Weil Falko sowieso nichts Besseres zu tun hatte und das Bein immer weniger schmerzte, schwang er sich gelegentlich aufs Motorrad und beobachtete das Haus Knobel aus sicherer Entfernung. Die Mutter kannte und hasste ihn inzwischen und würde bei seinem Anblick unverzüglich die 110 wählen. Aber er hatte nach und nach herausbekommen, wo die Eltern arbeiteten, wann sie heimkamen, und dass der Großvater durch eine Truppe von Pflegerinnen betreut wurde. Es gab Tageszeiten, da konnte er ohne weiteres ein paar Runden ums Haus drehen, ohne dabei entdeckt zu werden. Bei Gelegenheit wollte er sich den dummen kleinen Max mal wieder zur Brust nehmen.

Bei einer seiner Erkundungen erlebte er eine sensationelle Überraschung: Seine ehemalige Braut Jenny ging hier aus und ein. Sie rückte mit einem Dienstwagen an, trug einen Kittel und besaß einen Hausschlüssel.

Vor Jahren hatte sich Jenny fluchtartig aus Heidelberg abgesetzt. Falko hatte vermutet, dass sie zu ihrer Schwester nach Schweinfurt oder zurück in den Odenwald gezogen war. Na warte, dich krieg' ich noch, dachte er jetzt. Er hatte ihr seinen Falken aufgestempelt als Zeichen dafür, dass sie sein Eigentum war – und es immer bleiben würde.

Als er nun eines Nachts mitbekam, dass Max zärtlich seinen Arm um Jenny legte und sie mit dem Auto heimfuhr, begriff er, dass sie bei Knobels nicht bloß pflegte. Ihn überkam grenzenlose Wut und gleichzeitig dämmerte es ihm langsam: Max und Jenny hatten Pit Bull auf dem Gewissen. Seiner ehemaligen Freundin traute er es zu, ihren früheren Peiniger kaltgemacht zu haben. Sicher, es war damals falsch gewesen, Pit anzuheuern. Er hätte Jenny fürs Bordell vorbereiten und abrichten sollen, war dabei jedoch zu weit gegangen.

Falko kannte Jennys Charakter ziemlich gut. Nach Pit Bulls Gewaltakt hatte sie wie eine Furie gewütet, beiden das Gesicht zerkratzt und Rache geschworen. Danach war sie verschwunden, und er war kurz darauf im Bau gelandet. Wahrscheinlich hatte sie ihn verpfiffen, zumindest aber den Bullen einen anonymen Tipp gegeben. Für diesen Verrat plante er eine Bestrafung, die sich gewaschen hatte.

Der nächste Schritt war ganz leicht, nämlich Jennys Wohnung ausfindig zu machen. Er brauchte ihr nur diskret nachzufahren und sie bei ihren Hausbesuchen zu beschatten.

Jenny erschrak maßlos, als sie eines Nachmittags zum Fenster hinausschaute und Falko entdeckte, wie er mit dem Motorrad vor ihrem Haus patrouillierte. Zwar hatte sie ihn lange nicht mehr gesehen, und sein Kopf war durch den Helm fast vollständig getarnt, doch sie erkannte sofort seine auffällige Lederjacke, deren Rückseite ein Falke schmückte.

Noch nie hatte sie ein eigenes Auto besessen. Die Dienststelle war nicht allzu weit entfernt, sie konnte notfalls zu Fuß hingehen. Im Allgemeinen nahm sie aber das Fahrrad, stellte es dort ab und setzte sich in den Firmenwagen. Wenn sie am späten Abend mit der Arbeit fertig war, stieg sie wieder auf und radelte nach Hause. Hin und wieder, wenn es regnete oder sie besonders erschöpft war, durfte sie den Dienstwagen auch für die Heimfahrt benutzen, musste ihn aber für die Frühschicht sehr zeitig wieder abgeben. Da Jenny keine freiwillige Frühaufsteherin war, hatte sie sich fast nie für diese Variante entschieden.

Es war zu erwarten, dass Falko sie abfangen würde, sobald sie unten aus der Haustür kam. Oder er fuhr ihr nach und brachte das Fahrrad auf einsamer Strecke zu Fall. Sollte sie auf der Polizeiwache anrufen und um Geleitschutz bitten? Sie musste in etwa zehn Minuten aufbrechen, sonst kam sie zu spät, und es gab Ärger. Es war fraglich, ob eine Streife so schnell hier sein konnte und man ihr Anliegen überhaupt ernst nahm. Schließlich konnte sie nur vorbringen, dass sie von einem einschlägig vorbestraften Kerl beobachtet wurde. Auch Max war außer Reichweite, denn an diesem Freitag war er von seinem Vater zu einem Angelausflug eingeladen worden.

Jenny entschied sich, ein Taxi zu bestellen, das direkt vor ihrer Haustür halten sollte. Vielleicht konnte sie Falko täuschen, wenn sie schnell genug einstieg. Sie band ein Kopftuch um, schlüpfte in einen langen Rock, der die weißen Hosen verbarg, und hängte sich ein Cape um, das ihr neulich eine alte Dame bei Platzregen aufgedrängt hatte.

Der Trick klappte. Aus der Distanz bemerkte Falko nur eine gebeugte Gestalt, die in ein Taxi kletterte.

Als Jenny kurz darauf auf dem Hof des Pflegedienstes ankam, in den Firmenwagen umstieg und zu ihren hilfsbedürftigen Alten startete, fühlte sie sich fürs Erste in Sicherheit.

Willy Knobel stand auf ihrem Plan an drittletzter Stelle. Sie betrachtete ihn mit einer gewissen Rührung, als sie ihn schlafend vorfand. Ob sie das Angebot von Max annehmen und mit den zwei Männern nach Dossenheim ziehen sollte? Was war, wenn die Liebe – die bei jungen Männern oft nur kurzlebig war – erlosch und sie dann mir nichts, dir nichts wieder vor die Tür gesetzt wurde?

Irgendwann war endlich Feierabend. Diesmal stand kein Fahrrad auf dem Hof des Büros, Jenny hatte die Wahl zwischen dem Firmenauto – gekoppelt mit frühem Aufstehen – oder einem nächtlichen Spaziergang, der viel zu gefährlich war. Die 7 Euro für eine erneute Taxifahrt wurmten sie, und so blieb sie lieber im Wagen sitzen.

Sie war bereits in der Nähe ihrer Wohnung, als sie direkt unter einer Laterne ein Motorrad sichtete. Sie begriff sofort, drehte und brauste in entgegengesetzter Richtung davon.

Wo sollte sie jetzt hin? Im Grunde wollte sie ja bloß ihre Ruhe haben und ein paar Stunden ungestört schlafen. Immerhin bestand die Möglichkeit, sich im Büro des Pflegedienstes auf ein mit Kunstleder bezogenes, zweisitziges Sofa zu krümmen. Komfortabler wäre es allerdings, wenn sie den Schlüssel für das Knobelsche Haus nutzte. Das Bett von Max stand leer, und er hatte stets versichert, dass seine Eltern niemals unerwartet bei ihm hereinschneiten. Wenn Jenny ganz leise öffnete und hinunterschlich, würde weder der Alte noch die Hausfrau etwas merken.

Es war inzwischen halb zehn, beim Alten oben schimmerte noch das bläuliche Licht des Fernsehers durch die Ritzen der Türläden. Im Flur schien ebenfalls Licht zu brennen, wahrscheinlich auch im Wohnzimmer. Jenny kreiste einmal um den Block, stellte dann den Dienstwagen mit dem auffälligen Logo des Pflegedienstes in der angrenzenden Straße ab und stahl sich durch den Vorgarten bis zur Haustür. Mit klopfendem Herzen schloss sie auf und huschte lautlos hinunter in das Souterrain. Im Zimmer ihres Freundes knipste sie nur die Nachttischlampe an, zog sich rasch aus und ein T-Shirt von Max an und legte sich hin. In diesem Bett hatte sie schon mehrmals geschlafen, allerdings nie bis zum Morgen. Wohlig streckte sie sich aus. Es roch nach Zigaretten und ein klein wenig nach Schweißfüßen, insgesamt aber vertraut und gut. Jenny fühlte sich endlich geborgen, machte das Licht aus und die Augen zu. Fast spürte sie, dass Max neben ihr lag und sie beschützte.

Petra konnte, als sie gegen Mitternacht ins Bett sank, trotz Müdigkeit nicht einschlafen. Ihr kam jene Nacht in den Sinn, als Falko auf den gebohnerten Dielen ausgerutscht war und sich beim Treppensturz das Bein gebrochen hatte. Auch heute war sie wieder ohne Harald und Max allein im Haus, denn auf den Schutz des Alten konnte man ja nicht zählen. Hatte sie eigentlich die Eingangstür von innen verriegelt? Sie stand noch einmal auf, um dies nachzuholen. Was aber letzten Endes auch nichts nützte.

Falko hatte tatsächlich lange vor Jennys Wohnung gelauert, bis ihm endlich aufging, dass sie ihn reingelegt hatte. Er ärgerte sich maßlos und fuhr donnernd und ziellos davon. Im menschenleeren Industriegebiet entdeckte er ein einsames Cabrio, dessen Verdeck er mit dem Teppichmesser aufschlitzte. Routinemäßig hatte er eine Rolle Klebeband, einen Akkubohrer, ein paar Werkzeuge, einen Bund mit Dietrichen und eine Taschenlampe bei sich. Es war keine große Kunst, aus der Mittelkonsole des Cabrios ein CD-Radio, ein Klimasteuergerät und einen Bordcomputer auszubauen. Gut, dass er einen Rucksack dabeihatte. Gelegenheit macht Diebe, dachte er und wurde gleich ein wenig fröhlicher. Morgen würde er alles seinem Hehler Bobo anbieten und sicher ein paar Scheinchen dafür kriegen.

Um sich abzureagieren, suchte Falko, schon auf dem Weg zu Knobels, eine Kneipe auf und bestellte ein Bier sowie einen Klaren. Und dabei blieb es nicht. Als er sich später torkelig erhob, weil der Wirt dichtmachen wollte, sagte die Kellnerin: »Sie sollten sich nicht mehr in Ihren Wagen setzen! Wenn's recht ist, werde ich Ihnen eine Taxe rufen.«

»Hab' gar kein Auto«, sagte Falko und schwankte davon.

Der dicke Mercedes des Vaters stand nicht vor der Tür, jedoch der Wagen von Max; anscheinend waren die Eltern übers Wochenende weggefahren. Langsam umkreiste Falko den Block und entdeckte dabei in der benachbarten Straße den Firmenwagen des Pflegedienstes. Das war doch kein Zufall! Schließlich konnte er eins und eins und manchmal auch zwei und zwei zusammenzählen. Jenny übernachtete also bei diesem milchbärtigen Muttersöhnchen, weil außer dem alten Penner kein Mensch zu Hause war. Damit ergab sich die einmalige Gelegenheit, zwei Fliegen mit einer Klatsche zu erledigen.

25

Max hatte sich ein wenig vor dem Wochenende am
See gefürchtet, aber er wollte es mit seinen Eltern
nicht völlig verderben. Er ahnte, dass sein Vater
ihn nicht in Ruhe lassen würde, und hörte förm-
lich: »Junge, wir meinen es doch nur gut mit dir«,
oder: »So kann es nicht weitergehen«, bis hin zu:
»Hast du denn gar kein Vertrauen zu mir?«

So ähnlich hatte es Harald tatsächlich geplant.
Aber natürlich wollte er seinen Sohn nicht gleich
in der ersten Stunde bedrängen. Also übersah er
geflissentlich die unhygienischen, ja schädlichen
Flipflops seines Sohnes und sprach auf der Fahrt
bloß über die bevorstehenden Anglerfreuden. Dieses Thema langweilte Max zwar fast zu Tode, doch
da es lange her war, dass Vater und Sohn etwas gemeinsam unternommen hatten, fühlte er sich auch
ein wenig geschmeichelt – und geliebt.

Sie hatten kein Glück beim Fischen, zum Essen konnte kein Zander gebraten werden. Aber
Harald hatte in kluger Voraussicht einen Korb mit
Lebensmitteln mitgebracht und begann sogar zu
kochen. Zu Hause war das noch nie vorgekom-

men, doch das heutige Ergebnis war nicht direkt schlecht. Max, der es eigentlich besser konnte, durfte nur Handlangerarbeiten verrichten und zum Schluss in einer versifften Steingut-Spüle abwaschen.

»Warum hat dein Freund sich seine Datsche nicht ein bisschen gemütlicher eingerichtet?«, fragte er.

»Kommt noch«, antwortete Harald, »Jürgen hat die Hütte erst kürzlich mitsamt Inventar gekauft. Aber warte nur! In einem Jahr sieht es hier ganz anders aus!«

»Dank eurer Tiefgarage«, spottete Max und erntete einen finsteren Blick seines Vaters. Danach hätte er sich am liebsten in einer Ecke verkrochen, aber irgendwann musste es natürlich ernst werden. Das gefürchtete Männergespräch begann.

»Junge, ich weiß, dass du Probleme hast. Aber wenn du nicht mit uns redest, können wir dir auch nicht helfen«, begann sein Vater die Sitzung.

Schon im Vorfeld hatte sich Max eine Taktik zurechtgelegt: Er wollte dem Vater ein paar mundgerechte Brocken hinwerfen und ihn damit von weiteren, viel unangenehmeren Themen ablenken. Hauptsache, er wurde nicht auf das abgebrochene Studium angesprochen.

Also beichtete Max seine heimliche Liebschaft

mit Jenny, wofür sein Vater erstaunlich viel Verständnis aufbrachte.

»Mama kann sie nicht leiden«, klagte Max, um an die väterliche Solidarität zu appellieren. Harald reagierte wie erwartet und versprach sofort, bei Petra ein gutes Wort einzulegen.

Nach etwa einer Stunde war dieser Punkt abgehakt und drei Flaschen Bier waren leer. Max schwante, dass Harald sich noch nicht zufriedengeben würde. Bevor es jedoch ans Eingemachte ging, entschloss er sich, einen fetteren Köder auszulegen. Er berichtete mit heiserer Stimme, dass der Alte ihm sein Haus überschrieben habe, die Schenkung schon notariell beglaubigt sei und jetzt bereits der Umzug geplant werde.

Diese Neuigkeit schlug ein wie eine Bombe. Harald sprang auf, lief vor der Hütte auf und ab, brüllte abwechselnd: »Unerhört!«, oder: »Nicht zu fassen!«, später auch etwas leiser: »Wieder mal typisch für meinen Vater, dass ich erst gar nicht gefragt werde!«

Nachdem er sich eine Weile ausgetobt hatte, griff er zum Cognac, trank zu viel und zu schnell. Max begutachtete den Zustand seines Vaters mit Kennerblick und schielte dabei bisweilen auf die Uhr.

Harald hatte sich schließlich in einem der Stockbetten im Schlafzimmer zur Ruhe begeben, sein

Sohn hatte es vorgezogen, in der Essecke einen Schlafsack auszubreiten; von der Mutter wusste er, dass sein Vater nach reichlichem Alkoholkonsum zu schnarchen pflegte. Nun lag Max etwas unbequem auf dem harten Holz der Sitzbank und dachte sehnsüchtig an Jenny.

Inzwischen beobachtete Falko die Festung Knobel. Die Lichter waren in allen Räumen längst ausgegangen, die Haustür war von innen verriegelt. Auch die Balkontür im oberen Stockwerk schien nicht offen zu stehen. Falko erinnerte sich an den Satz seines Lehrmeisters: *Wenn ein Profi irgendwo reinkommen will, dann schafft er das immer.* Außerdem hatte er den Akkubohrer dabei, eine überaus segensreiche Erfindung. Im Vergleich zu früher, wo man die Scheiben noch mühselig mit einem Brecheisen einschlagen und mit Klebefolie sichern musste, war ein Einbruch heutzutage – ohne zersplitterndes, klirrendes, scharfzackiges Glas – sehr viel komfortabler geworden.

Die Verriegelung der Terrassentür bestand nur aus zwei kleinen Rollzapfen, die im Holzrahmen in U-förmige Lücken griffen. Der Hausbesitzer war Architekt oder Ingenieur oder etwas Ähnliches, warum hatte er keine Zapfen mit Pilzköpfen einbauen lassen? Falko verstand manchmal nicht, wie leichtsinnig die Menschen mit ihrem Hab und Gut umgingen. Ohne Kraftakt konnte er die Zapfen über den Rand der Aussparung drehen, und schon zwei Minuten später stand er auf dem roten Teppich des Wohnzimmers.

Wenn er Max und Jenny auf den Kopf zusagte, dass er wüsste, wer Pit Bull getötet habe, würden sie mit Sicherheit alles Geld zusammenkratzen, was im elterlichen Haus deponiert war, damit er das Maul hielt. Auch in den kommenden Jahren könnte er sie nach Belieben erpressen. Mit zwei nackigen Turteltäubchen wurde er dreimal fertig.

Wenn es nicht anders ginge, würde er Jenny mitnehmen. Eine Geisel konnte sehr nützlich sein, falls die halbe Portion, dieser Milchbubi, nicht genug Kröten herausrücken wollte.

Vorsichtig schlich Falko die Treppe hinunter und fand auf Anhieb das bewusste Zimmer. Er plante eine totale Überrumpelung, trat also die Tür auf und fand sofort den Schalter für das Deckenlicht. Auf den ersten Blick sah er nur ein paar blonde Haare auf dem Kopfkissen, wahrscheinlich hatten sich die beiden das Federbett über die Ohren gezogen. Falko zögerte nicht, mit einem Ruck die Steppdecke herunterzureißen.

Jenny fuhr hoch und starrte ihn verstört an. Was war das für ein Alptraum? Sie öffnete den Mund, wollte schreien, bekam jedoch keinen Ton heraus. Bevor sie es ein weiteres Mal versuchen konnte, hielt Falko ihr schon den Mund zu.

»Wo ist dein Macker?«, fragte er und vergaß, dass sie gar nicht antworten konnte.

»Ihr habt Pit Bull umgebracht«, setzte er nach. »Wenn ihr wollt, dass ich euch nicht verpfeife, möchte ich heute noch fünf Riesen sehen!«

Sie zuckte mit den Gesichtsmuskeln und wollte etwas entgegnen. Falko sah ein, dass er ihren Mund wieder freigeben musste, dafür hielt er sie jetzt an den Armen fest.

»Du Idiot, du weißt genau, dass ich schlecht bei Kasse bin. Außerdem habe ich Pit Bull seit Jahren nicht gesehen«, zischte sie.

»Bist du allein im Haus?«, fragte er. Jenny schüttelte den Kopf.

»Max ist auf dem Klo«, behauptete sie, »außerdem schlafen seine Eltern und der Großvater im ersten Stock. Du hast keine Chance, sie werden dich hören und die Polizei rufen.«

»Du lügst ja wie gedruckt! Der Mercedes ist weg, der Ingenieur und seine rothaarige Schlampe sind fortgefahren«, sagte Falko. »Und deinen Max werde ich mir jetzt schnappen.«

Bevor er auf die Suche ging, musste er allerdings dafür sorgen, dass Jenny nicht abhaute. Falko kniete sich auf ihre Beine, packte ihre Handgelenke, zog die Rolle Paketband aus der Hosentasche und wollte sie fesseln. Sie wehrte sich heftig, schrie los, so laut es eben ging, und hoffte, Petra würde wach.

Es war unmöglich für Falko, sie gleichzeitig zu bändigen und ihr den Mund zuzupflastern. Jenny wurde rabiat wie ein tollwütiger Hund und biss ihn in die Hand. Als er aufheulte und kurz locker ließ, schüttelte sie ihn mit einem kräftigen Stoß ab, sprang aus dem Bett und versuchte, durch die Garage zu entkommen. Er hechtete ihr nach, erwischte ihr Bein, und beide fielen zu Boden.

Petra wurde durch einen markerschütternden Schrei aus dem Tiefschlaf gerissen. Träumte sie schon wieder von toten Männern? Diesmal lag kein Harald neben ihr und nahm sie schützend in den Arm. Sie war ganz auf sich allein gestellt. Jetzt nur nicht hysterisch werden, versuchte sich Petra zu beruhigen, wollte eine Hopfen-Baldrian-Tablette nehmen und wieder einschlafen. Da hörte sie ein fernes Poltern, das mit Sicherheit kein Traum war.

Bevor sie nicht nachgeschaut hatte, käme sie doch nicht zur Ruhe, sagte sie sich, zog den Morgenmantel über und schlüpfte in die Pantoffeln.

Als sie das Schlafzimmer verließ, das Flurlicht anmachte und die Treppe zum Erdgeschoss hinuntertappte, vernahm sie abermals einen sonderbaren Ton aus dem untersten Geschoss.

Schon wieder ein Erpresser oder Einbrecher? Sollte sie den Notruf wählen und sich als Querulantin einstufen lassen? Wahrscheinlich klapperte nur ein Fenster in Max' Zimmer.

Aus dem Souterrain schimmerte ein schwacher Lichtstreifen, der Petra befremdete. Tapfer stieg sie auch die nächste Treppe hinunter. Zwar klopfte ihr das Herz bis zum Hals, doch sie wollte es jetzt wissen. Die Tür zum hell erleuchteten Zimmer ihres Sohnes stand weit auf – und auch die zur Garage.

Jetzt sah Petra zwei Gestalten, die sich auf dem Garagenboden wälzten. Entschlossen lief sie ins Zimmer ihres Sohnes und griff unter das Bett. Die Schusswaffe war anscheinend nach hinten gerutscht und nicht auf Anhieb hervorzuangeln; dafür lag das Eisenrohr griffbereit. Mit erhobener Stange stürzte sie zum Schlachtort und schrie: »Sofort aufhören, oder es kracht!«

Falko hockte auf Jenny, ließ auch jetzt nicht von ihr ab, schielte hoch und erkannte für den Bruchteil einer Sekunde Pit Bulls berüchtigtes Metallrohr, das gleich darauf wie ein Fallbeil auf seinen Kopf niedersauste. Er gab einen jämmerlichen Laut von sich und muckste sich nicht mehr.

Wie in Zeitlupe befreite sich Jenny aus Falkos Griff und rappelte sich auf. Sie war nur mit einem kurzen Hemd bekleidet und sah aus wie das wahnsinnige Gretchen, das gerade sein Neugeborenes ertränkt hat. Einen Moment lang starrten sich die beiden Frauen wortlos an.

»Was geht hier vor?«, fragte Petra streng.

»Wenn Sie Ihren Sohn lieben, holen Sie lieber nicht die Polizei«, stammelte Jenny. »Sie bringen ihn sonst nur in noch größere Schwierigkeiten.«

»Aber irgendetwas muss man doch unternehmen!«, schrie Petra. »Okay, meinetwegen rufe ich vorerst nur einen Krankenwagen. Dieser Kerl ist schon einmal bei uns eingebrochen, ich verstehe überhaupt nicht, was er schon wieder hier will. Und auch nicht, was Sie hier zu suchen haben!«

Jenny trat an Falko heran, tastete nach seinem Puls und sagte verwundert: »Er ist tot!«

»Kann gar nicht sein!«, widersprach Petra. »Das ist höchstens eine Gehirnerschütterung.«

»Fühlen Sie mal selbst«, sagte Jenny, »der ist hin! An Ihrer Stelle würde ich mir gut überlegen, ob ich jetzt einen Riesenwirbel mache, sonst kriegen auch Sie selbst Probleme.«

»Aber ich bitte Sie!«, sagte Petra. »Was reden Sie denn da für Unsinn! Ich habe Ihnen gerade das Leben gerettet, das ist keine Straftat, sondern Bürgerpflicht.« Sie versuchte, gefasst zu klingen. »Trotzdem können wir ihn nicht einfach hier liegen lassen.«

»Stimmt«, sagte Jenny, »wir müssen ihn loswerden. Ich helfe Ihnen und schaffe erst einmal das Motorrad hier weg. Bis gleich.«

Und dann wurde aus Petras Albtraum Wirklichkeit. Zum Glück erinnerte sie sich an Haralds patenten Vorschlag, doch ihr Mann stand im Moment nicht zur Verfügung. Nach kurzem Überlegen rief sie seinen Spezi an. Schließlich hatte Harald ihm einen Millionenauftrag zugeschanzt, das konnte Jürgen nicht bloß mit einem Angelwochenende ausgleichen. Eine kleine erpresserische Bitte würde Wunder wirken.

26

Der Tote lag bereits im Kofferraum. Jenny und Petra packten die Stange, um sie ebenfalls zu verfrachten und erstarrten plötzlich, weil von oben ein munterer Zuruf heruntertönte. Es musste der Alte sein, der nachts manchmal auf dem Balkon stand.

Wie so oft in letzter Zeit konnte er nicht durchschlafen – und bei Vollmond schon gar nicht.

»Alles in Ordnung?«, rief Petra.

»*Hic, haec, hoc, der Lehrer hat 'nen Stock!*«, antwortete er und kicherte.

»Geh zurück ins Bett, du holst dir noch den Tod!«, meinte Petra und erschrak selbst über diese Wortwahl.

»Er spinnt wieder«, sagte Jenny leise. »Morgen kann er sich an nichts mehr erinnern.«

Dann fuhren sie los. Wer andern eine Grube gräbt ...

»Eigentlich mag ich keine Tiefgaragen«, sagte Petra, »sie haben immer so etwas Unheimliches.«

Jürgen wartete bereits vor Ort. Ohne mit der Wimper zu zucken, schloss er das Gitter der abgesperrten Baustelle auf, fuhr mit den Frauen in die Tiefe, half bei der Ablage des Toten im Kanalschacht und setzte sich dann in einen beladenen Muldenkipper, um das Grab vorbildlich zuzuschütten.

»Erpressen kannst du mich eigentlich nur, wenn du deinen eigenen Mann in die Pfanne haust«, sagte er, ohne dass es Jenny hören konnte. »Eher habe ich jetzt dich in der Hand. Aber wenn du dafür sorgst, dass ich wieder so einen lukrativen Auftrag erhalte, dann feiern wir heute den Beginn einer wunderbaren Freundschaft.«

Petra nickte, sie hätte in diesem Augenblick alles versprochen. Doch schließlich verabschiedete sich Jürgen wie ein Gentleman.

»Harald erfährt kein Sterbenswörtchen, was seine kleine Frau heute angestellt hat. Falls du mal wieder einen diskreten Freund brauchst«, sagte er, »stehe ich jederzeit zur Verfügung.«

Auf dem Rückweg gelobten Petra und Jenny ewige Verschwiegenheit. Weder Max noch Harald oder gar der Alte sollten je von ihrem nächtlichen Abenteuer erfahren, von anderen Menschen ganz zu schweigen. Petra setzte Jenny ab und fuhr dann endlich wieder nach Hause. Körper und Seele lechzten nach einem heißen Bad. Sie hatte noch

Zeit genug, bis sie dem Alten das Frühstück bringen und schließlich um neun Uhr die Ladentür aufschließen musste.

Bin ich nun eigentlich eine Mörderin?, überlegte Petra und aalte sich in duftendem Lavendelwasser. Zu einem Mord gehörten Vorsätzlichkeit und niedrige Motive. Davon konnte nicht die Rede sein. Oder hatte sie aus reiner Notwehr gehandelt? Das konnte man eigentlich auch nicht behaupten, denn nur Jenny war angegriffen worden, und nicht sie selbst. Edelmut tut selten gut. Doch jetzt hieß es jedenfalls erst einmal schlafen. Und zur Not gab es immer noch Ronald Melf.

Um acht brachte sie ihrem Schwiegervater Kaffee und sein Marmeladenbrot ans Bett. Er deutete vorwurfsvoll auf seine leere Mundhöhle, denn sie hatte seine Zahnprothese vergessen. Max pflegte sie morgens auf einer Untertasse zu servieren.

Kurz bevor Elena anrückte, war Willy Knobel mit dem Frühstück fertig, und Petra verließ das Haus. Am Samstag kamen meistens mehr als die üblichen fünf Kunden. Auch an diesem Vormittag gab es erwartungsgemäß viel zu tun, Petra musste sich konzentrieren, um keine Fehler zu machen; immerhin wurde sie vom Gedankenkarussell in ihrem Kopf abgelenkt.

Den Nachmittag verbrachte Petra vor laufendem Fernseher, ohne überhaupt hinzusehen. Sie lag bereits seit Stunden untätig auf dem Sofa, als Harald anrief und von einem großen Fisch erzählte, den Max gefangen hätte.

»Es läuft gut mit dem Jungen, wir hatten gestern ein sehr intensives Gespräch«, sagte er. »Du musst dir also keine Sorgen machen, alles…«

»…paletti…«, sagte Petra und verdrehte die Augen.

»Dein Mäxchen geht auf Freiersfüßen«, sagte Harald. »Das haben wir zwar längst geahnt, aber endlich hat er freimütig darüber berichtet. Reg dich nicht auf, diese Jenny tut ihm gut, das habe ich sofort gemerkt. Du solltest sie besser kennenlernen, damit du deine Vorurteile abbauen kannst.«

»Ich? Vorurteile? Im Gegenteil, ich halte Jenny für eine sehr patente Frau!«, sagte Petra gereizt. Harald kannte diesen patzigen Ton und zog es vor, lieber noch nichts über die Schenkung seines Vaters zu verraten. Er wünschte seiner Gattin einen schönen Tag.

In einer einzigen Nacht habe ich mehr für unseren Max getan als Harald an einem ganzen Wochenende, dachte Petra. Das größte Problem ist jetzt erst mal aus dem Weg geräumt.

27

Am nächsten Tag machte der Alte Druck. Er wollte lieber heute als morgen in sein früheres Haus zurück, um endlich wieder ruhig zu schlafen. Von Umbauten mochte er nichts hören. Ein neues Badezimmer auf Kosten des großen Flurs oder der Küche? Das Schlafzimmer nach unten verlegen? Viel zu teuer, kommt nicht in die Tüte, sagte er. Wenn er unter der Erde liege, müsse ja ohnedies alles wieder rückgängig gemacht werden. Warum nicht einfach ein Treppenlift? Im Fernsehen habe er schon mehrmals darüber gestaunt, wie nützlich eine solche Einrichtung für Gehbehinderte sei.

Max suchte übers Internet entsprechende Firmen heraus, ließ sich Angebote schicken und war nach dem Einbau doch verwundert, wie hässlich und zugleich praktisch das Ergebnis ausfiel, denn es war fast eine kleine Zahnradbahn entstanden.

Schon im September war der Umzug mit Hilfe einiger Profis und eines Krankenwagens über die Bühne gegangen. Alle Probleme waren damit jedoch nicht gelöst.

Willy Knobel hatte sich nicht nur gegen architektonische Veränderungen gesperrt, sondern wollte auch die Einrichtung aller Zimmer so erhalten, wie er es seit vielen Jahren gewöhnt war. Max mochte den Großvater ungern darauf hinweisen, dass ihm das Haus nicht mehr gehörte, aber man konnte ihm schließlich nicht zumuten, im früheren Bett seiner Großmutter zu schlafen. Jenny, die zwar nicht allzu viel Hausrat besaß, wollte unter keinen Umständen ihre eigene Habe auf den Sperrmüll stellen, um in einem altväterlichen Gästezimmer wie eine Fremde untergebracht zu werden.

Max beschloss, erst einmal ohne sie einzuziehen, um dann Tag für Tag ein anderes großelterliches Möbelstück auf den Speicher oder in den Keller zu wuchten; den Protest des Alten überhörte er mit einem Lächeln. Es gefiel ihm allerdings wenig, dass er nicht das gesamte obere Stockwerk für sich hatte und das Schlafzimmer des Alten direkt neben seinem lag.

Vorläufig war Jenny also noch nicht umgezogen, wenn sie auch häufig bei Max übernachtete. Ohnedies lief ihr bisheriger Mietvertrag bis Ende Oktober. Bei dem neuen Pflegedienst, der jetzt für Willy Knobel zuständig war, hatte sie eine Stelle in Aussicht. Dort wollte auch Max demnächst ein Praktikum absolvieren.

Im elterlichen Haus war unterdessen friedfertige Entspannung eingetreten. Harald und Petra erlebten sogar die Andeutung eines zweiten Frühlings, waren abends schon mehrfach essen sowie einmal im Kino gewesen und fühlten sich insgesamt wieder freier und weniger belastet. Mizzis ehemaliges Zimmer wurde tapeziert und erhielt einen wertvollen, antiken Teppich, den Petra bei einer Auktion ersteigert hatte. An Weihnachten würden ja beide Kinder willkommene Gäste sein, Max konnte dann wieder in seiner alten Höhle und Mizzi im Balkonzimmer schlafen. Der Alte würde unterdessen sicherlich von Jenny versorgt.

Petras Freundinnen hatten oft über das Empty-Nest-Syndrom geklagt: Über die trostlose Situation nach dem Verlassen der flügge gewordenen Jungvögel, über den Verlust des Selbstwertgefühls, über Schlaflosigkeit und Depressionen in einer kritischen Phase, die oft parallel zum Klimakterium auftrat. Ein Wechselbad von Trauer und Hoffnung, das kaum auszuhalten sei.

Nichts von alledem konnte Petra an sich selbst beobachten. Max ließ sich gelegentlich von seiner Mutter zum Abendessen einladen, brachte aber niemals seine Freundin oder schmutzige Wäsche mit, sondern in einem Fall sogar ein rosa Alpenveilchen. Petra hatte ihm beim Umzug geholfen, hatte ihre Putzfrau nach Dossenheim geschickt und ziemlich viel Geld zugebuttert. Jetzt konnte sie das angenehme Gefühl genießen, nicht mehr ständig für drei oder vier Personen sorgen zu müssen und sich ganz ihrem Beruf und dem kleiner gewordenen Haushalt widmen zu können. Das Beste aber war, dass der Alte das Haus nicht mehr vollqualmte und das Badezimmer wieder ihr gehörte.

Als schließlich Jenny das leergeräumte Gästezimmer bezog, hätten eigentlich alle Bewohner des Dossenheimer Hauses halbwegs zufrieden sein müssen. Der Alte lag nun wieder in seinem gewohnten Schlafzimmer im Obergeschoss, wenn auch im Pflegebett der Krankenkasse; im Raum daneben hatten Max und seine Liebste ihr Lager aufgeschlagen. Das ehemalige Gästezimmer wurde von Jenny als ihr ganz privates Reich eingerichtet, Max verzog sich dagegen häufig in die Mansarde, wo er Computer, Musikanlage und Fernseher installiert hatte. Das gesamte Erdgeschoss wurde allerdings vom Großvater blockiert, er hockte wieder ohne Kopfhörer im Ohrensessel vor dem Bildschirm, verursachte ohrenbetäubenden Lärm und schlürfte selbst die Suppe bei laufendem Programm – bloß das Frühstück nahm er im Bett ein.

Kurz vor Weihnachten stürzte der Alte bei einem Versuch, den Lift ohne Hilfe zu entern, und blieb hilflos liegen, bis sein Enkel nach Hause kam. Zum Glück hatte er sich nichts gebrochen, war aber unterkühlt und vor Schreck etwas aus dem Takt geraten. Er wurde von Max ins Bett gebracht, bekam eine Wärmflasche auf den Bauch und musste sich die Untersuchung eines Notarztes gefallen lassen.

»Gegen den Tod ist kein Kraut gewachsen«, sagte er und zitterte noch nach Stunden am ganzen Leib. »*Contra vim mortis…* wie geht das bloß weiter? Ich habe mein Latein vergessen!«, und vor Kummer tropfte es unaufhaltsam aus Mund, Augen und Nase auf das frischbezogene Kopfkissen. Max reichte ihm ein Taschentuch.

»Wenn ich sterbe, müsst ihr meine Asche im *hortus conclusus* begraben«, bat er wehleidig.

»Wo soll das denn sein?«

»In Ilses Steingarten.«

»Opa, von Sterben ist nicht die Rede«, sagte Max. »Der Arzt hat nur ein paar Blutergüsse entdeckt, du kannst Arme und Beine bewegen und hast echt Schwein gehabt. Jetzt bleib mal zwei Tage im Bett, dann bist du wieder fit.«

Die blauen Flecken taten allerdings weh, der Alte jammerte und stöhnte, schlug um sich, warf das

Wasserglas um, wurde aggressiv und fing leider wieder an zu spinnen.

»Wo ist mein Geld geblieben, wo meine Waffe? Es wird Zeit, dass ich *tabula rasa* mache ...«

Max quälte sein schlechtes Gewissen. Kürzlich hatte der Großvater seine Bankauszüge verlangt. Ob er überhaupt noch verstand, was die Kontobewegungen bedeuteten? Zwar hatte er seinem Enkel eine Vollmacht ausgestellt, aber früher war stets ein größerer Betrag der Rente auf ein Sparbuch gewandert; jetzt war am Monatsende alles aufgebraucht. Einerseits hatte Willy Knobel ja angeordnet, die Ausgaben für den gemeinsamen Haushalt und den Pflegedienst davon zu bestreiten, andererseits hatte der Opa wohl den Überblick verloren, wie viel das alles kostete.

Es war wohl wirklich nicht richtig, überlegte Max, dass unter anderen – nicht unbedingt nötigen – Ausgaben auch Jennys hautärztliche Rosskur vom großväterlichen Geld bezahlt wurde. Der Falke auf ihrem Rücken war bereits zum großen Teil entfernt worden und würde in einigen Wochen völlig verschwinden. Sollte er es dem Großvater beichten? Wahrscheinlich war allein die Vorstellung einer Tätowierung ein solcher Schock für ihn, dass Jenny in seiner Gunst merklich sinken würde. Er jammerte sowieso seiner Elena nach, die er durch den Umzug verloren hatte. Stattdessen erschien morgens ein übergewichtiger und kurzatmiger Pfleger.

Willy Knobel lag nach seinem Sturz bereits seit drei Tagen im Bett und wurde immer zorniger, renitenter und konfuser.

Max hatte seit einigen Stunden nicht nach dem Alten geschaut, und das rächte sich. Sein Großvater bombardierte ihn mit der Programmzeitung, dem Brillenetui und einem Kirschkernkissen. Das Tablett rutschte Max aus der Hand, die Bouillon verbrühte seinen nackten Fuß und ergoss sich auf den Teppich.

»*Apage, satanas!*«, brüllte der Alte.

28

In seiner Not versuchte Max, Jenny per Handy zu erreichen. Sie hasste es zwar, wenn man sie ohne dringenden Grund bei der Arbeit störte, aber es ging jetzt nicht anders.

»Ich kann den Opa nicht mehr in den Griff kriegen«, sagte Max. »Kannst du nicht noch einmal dein Zaubermittel mitbringen?«

»Die Frau, die es regelmäßig verschrieben bekam, gehört jetzt nicht mehr zu meinen Patienten. Aber ich versuche, bei einem anderen etwas abzuzwacken«, versprach sie.

Max setzte sich neben seinen Großvater ans Bett, stellte den Fernseher ab und versuchte, den Alten zu beruhigen und zum Trinken zu bewegen. Meistens konnte er nicht richtig verstehen, was da gebrabbelt wurde, aber es waren offensichtlich Verarmungsängste, die seinen Opa so quälten. Die anerzogene Sparsamkeit, der kriegsbedingte Geiz und die späte Großzügigkeit gegenüber seinem Enkel verhedderten sich in seinem Kopf zu verhängnisvollen Vorstellungen.

»Alles verloren, alles zerstört«, klagte er.

»Die gesamten Ersparnisse *perdu*! Ach Ilse, wie gut, dass du es nicht mehr erlebst.«

»Opa, reg dich nicht so auf, alles wird gut ...«

»Gar nichts wird wieder gut! Das ganze Leben geschuftet für nichts und wieder nichts. Ich kann und mag nicht mehr ...«

So ging es über zwei Stunden, bis Jenny mit dem ersehnten Medikament eintraf. Sie zögerte keine Minute, die Tropfen mit etwas Wasser zu verdünnen, um sie dann dem Patienten mit sanftem Nachdruck einzutrichtern.

»*Bellum omnium contra omnes*«, knurrte der Alte und schluckte widerwillig.

»Was heißt das?«, fragte Jenny, aber Max wusste nur, dass es etwas mit Krieg zu tun haben musste.

»Gleich wird er einschlafen«, sagte sie und nahm eine Windelhose aus dem Schrank. »Allerdings weiß ich nicht genau, ob dieses Sedativum ebenso gut bei ihm wirkt wie das vorherige. Hast du noch etwas zu essen für mich?«

Mit flinken, lang geübten Handgriffen hatte sie ihrem Schützling die Fleece-Hose und die Windel heruntergezogen. Sekundenlang lag er nun mit entblößtem Unterleib vor ihnen, ein Bild des Jammers und der armseligen Hilflosigkeit, das Max kaum ertragen konnte. Willy Knobel zuckte mit den Mundwinkeln, als wollte er weinen, aber sie hörten keinen Laut. Als Jenny ihn frisch gepampert hatte, senkte sie das Bett ab und zog das Seitengitter in die Höhe, so dass der Alte nicht herausfallen konnte.

»Schlaf gut, Opa«, sagte Max und löschte das Licht.

»Übrigens ist es typisch für seine Generation«, sagte Jenny später, »dass sie alle eine Wahnsinnsangst haben, ihr Hab und Gut zu verlieren. Viele hängen immer noch an der guten alten D-Mark und bilden sich ein, der Euro sei wertloses Inflationsgeld. Das kommt wohl durch den Krieg und die Folgen. Denn wenn die Alten phantasieren, dann selten vom Paradies.«

Beide begaben sich in die Küche. Max beeilte sich, zwei Gläser mit Rotwein zu füllen, eine gefrorene Packung Cannelloni mit Parmesan zu bestreuen und in einer feuerfesten Form in die Mikrowelle zu schieben.

Jenny machte sich mit gutem Appetit darüber her.

»Bin gleich wieder da«, sagte Max. »Ich schaue nur mal nach, ob er schon schläft.«

Als er wieder in der Küche Platz nahm, hatte Jenny das schmutzige Geschirr bereits in die Maschine geräumt und wischte mit einem Lappen den Tisch ab.

»Er murmelt nur ganz leise vor sich hin«, sagte Max erleichtert.

Auch Jenny entspannte sich nach ihrem anstrengenden Dienst, legte die Beine hoch, trank ein zweites Glas Wein und blickte Max zufrieden und leicht angesäuselt an.

Inzwischen ahnte er, dass in ihrer Brust zwei Seelen schlummerten. Einerseits war Jenny verletzlich und hatte nah am Wasser gebaut, andererseits von entschlossener Tatkraft und nahezu kaltblütig, wenn rasches Handeln nötig wurde.

»Mein Traum war immer«, sagte sie leise, »einen Arzt zu heiraten, zwei Kinder zu bekommen, in einem hübschen Haus mit Garten zu wohnen und meinem Mann in der Praxis zu helfen.«

»Ein schöner Traum«, sagte Max, »der auch mir gefällt. Aber die Realität sieht ganz anders aus: Ich kriege keinen Studienplatz und werde niemals Arzt.«

»Du gibst dir auch keine Mühe«, sagte sie etwas gereizt. »Dem Enkel einer Patientin ist es ähnlich ergangen wie dir, er hat aber nach allen Seiten seine Fühler ausgestreckt und ist jetzt an einer Universität in Innsbruck eingeschrieben. Hast du so etwas überhaupt versucht?«

Max schüttelte den Kopf.

»Ich werde auf jeden Fall Altenpfleger«, sagte er.

»Opas Haus werde ich irgendwann verkaufen und den Erlös mit meiner Schwester teilen.«

Jennys friedfertige Stimmung kippte. »Anscheinend hast du mich bei deinen Plänen überhaupt nicht einkalkuliert. Die Männer, die ich früher hatte, wollten nur mit mir ins Bett gehen«, sagte sie. »Bei dir habe ich geglaubt, dass alles anders ist.«

Ihre Worte beschämten Max, denn im Grunde wurde auch seine Liebe hauptsächlich durch Testosteron gesteuert. Leicht verlegen stand er auf, ging zum Fenster und sah unter einer Straßenlaterne ein Motorrad parken. Mein Gott, hat Falko mich jetzt bis nach Dossenheim verfolgt?, dachte er mit Entsetzen. Dann wird es ihm auch nicht schwerfallen, für Pit Bull einen Ersatz zu finden!

»Was hast du denn nun schon wieder?«, fragte Jenny, als Max zu zittern begann.

»Draußen lauert Falko mir auf«, flüsterte er. »Du erwartest wahrscheinlich, dass ich genauso cool bin wie du. Aber solche Typen machen mir Angst. Entsetzliche Angst!«

»Reg dich ab, es ist nicht seins, Falko ist tot«, entfuhr es Jenny, und im selben Moment zuckte sie zusammen. Schließlich hatte sie Petra fest versprochen, über die Ereignisse jener schrecklichen Nacht für immer und gegen jedermann Schweigen zu bewahren.

Max fuhr herum. »Was?«, rief er. »Hast du ihn etwa auch umgebracht?«

Sein höhnischer Unterton reizte Jenny bis aufs Blut.

»Ich doch nicht, sondern deine Mutter! Und zwar mit Pit Bulls Eisenstange«, schrie sie aufgebracht. »Eure feine Familie ist auch nicht besser als ich.«

Max glaubte ihr kein Wort. Er insistierte so lange, bis Jenny zu weinen begann und ihm die ganze Geschichte erzählte.

»Okay«, sagte er schließlich, »Mama hat euch verteidigt. Aber du hast ihm mit Sicherheit wieder einen Knebel in den Mund gestopft!«

Jenny schwieg. Sie hatte den Stuhl dichter an den Küchentisch gerückt und den Kopf auf die verschränkten Arme gelegt. Nach langer Pause meinte sie: »Ich bin müde und gehe jetzt schlafen, aber in meinem Zimmer.«

Am nächsten Morgen war Willy Knobel nicht wachzukriegen. Der Pfleger hörte sich an, was Max über seine Verwirrtheit erzählte und befand es für richtig, dass der Alte sich gründlich ausschlief. Wie Jenny am Abend zuvor wusch und windelte er ihn im Bett und riet Max, seinen Großvater immer wieder zum Trinken zu animieren.

Jenny ging ihm aus dem Weg. Da ihr Dienst erst am Nachmittag begann, lieh sie sich von Max das Auto und fuhr damit nach Heidelberg zum Einkaufen. Sie brauche Schuhe und einen neuen Regenschirm.

Zu ihrer Überraschung wurde Petra in der geheiligten Mittagspause angerufen. Sie spürte sofort, dass Max etwas auf dem Herzen hatte, doch er schien Hemmungen zu haben, über seine Probleme zu reden. Hatte Jenny am Ende nicht dichtgehalten?

»Willst du heute bei uns essen?«, fragte sie freundlich, aber er verneinte. Er müsse sich um den Opa kümmern, sagte er, der schlafe zwar noch, aber man könne nicht wissen, wann und in welchem Zustand er wach werde. Nach diesem Gespräch war Petra etwas ratlos; sie hatte das Gefühl, sofort nach Dossenheim brettern und ihren Jungen in die Arme nehmen zu müssen. Verunsichert schaute sie auf die Uhr, doch es war nicht mehr zu schaffen. In einer Viertelstunde musste sie die Ladentür wieder aufschließen, denn ihre Mitarbeiterin hatte sich freigenommen.

Als Jenny gegen fünfzehn Uhr zurückkam, zerrte Max sie sofort an das Krankenbett des Alten.

»Er gefällt mir nicht«, sagte er. »Vielleicht sollte man einen Arzt rufen. Er atmet so komisch …«

Jenny fühlte seinen Puls, schüttelte lächelnd den Kopf und packte dann ihre Einkäufe aus.

»Alles okay. Wie stehen mir die Spangenschuhe? Ich hatte mir schon immer knallrote gewünscht, deine Mutter trägt ganz ähnliche. Ewig diese flachen Latschen, hin und wieder möchte ich gern schick sein.«

»Er müsste jetzt endlich trinken«, sagte Max, »aber ich schaffe es nicht, er würde sich verschlucken. Gibt man in solchen Fällen vielleicht eine Infusion?«

»Man kann es auch übertreiben mit der ewigen Trinkerei«, sagte Jenny. »Früher hat man das überhaupt nicht so ernst genommen. Meine Urgroßmutter ist fast hundert Jahre alt geworden und hat angeblich nur ein Glas Milch am Tag gekriegt.«

Max erinnerte sich, dass seine Oma ebenfalls nur eine Tasse Kaffee morgens und eine am Nachmittag getrunken hatte – allerdings war sie auch nicht besonders alt geworden; vielleicht hatte Jenny ja recht. Sie wurde früher als sonst von einer Kollegin abgeholt, denn sie müsse als Vertretung einige Schwerkranke versorgen.

Um sich abzulenken und weil er es schon lange vorgehabt hatte, begab sich Max in den Keller, um dort auszumisten. Demnächst war Sperrmüll und eine gute Gelegenheit, die Spreu vom Weizen zu trennen. Schwitzend trug er ein völlig verrostetes Fahrrad, einen Stuhl mit abgebrochener Lehne, eine dreiteilige Matratze samt Keilkissen, Großmutters Nachttopf und Kartons mit ausrangiertem Geschirr in die Garage. Wo er nun einmal mit dem Aussortieren angefangen hatte, konnte er kaum mehr aufhören. Immer wieder stieß er auf Gegenstände, deren Funktion ihm unklar blieb oder die er eingehend prüfen musste, ob sie noch nützlich sein könnten.

Irgendwann schaute er auf die Uhr und sah mit Schrecken, dass er seinen Opa fast vergessen hatte. Max nahm zwei Stufen auf einmal und trat atemlos an das Bett des Alten. Er schlief immer noch.

Als Jenny endlich nach Hause kam, stürzte sich Max voller Zorn auf seine Freundin.

»Du hast ihm viel zu viele Tropfen gegeben!«, brüllte er, »du willst ihn umbringen, da bin ich mir sicher!«

Sie folgte ihm ans Bett des Alten, fühlte wie immer seinen Puls.

»Sein Tod käme dir nicht ungelegen«, sagte Max grimmig, »du bist doch scharf auf Opas Zimmer!«

Jenny sah ihn mit großen Augen an, schwieg eine Weile und rang nach Worten.

»Ihm geht es gut«, sagte sie schließlich, »aber mir nicht. Dieses schwachsinnige Klischee von der mordenden Altenpflegerin ist einfach zum Kotzen! Ich bin zutiefst verletzt, dass du so wenig Vertrauen zu mir hast. Mit uns war es wohl von Anfang an sinnlos…«

Am nächsten Vormittag verließ sie das Haus, ohne sich zu verabschieden. Sie nahm nur zwei Koffer und die Walther des Alten mit. Ihre wenigen Möbel ließ sie irgendwann abholen. Max erfuhr auch später nicht, wohin es Jenny verschlagen hatte und was aus ihr geworden war.

Trotz seiner Bestürzung über Jennys Verschwinden musste Max einsehen, dass sie seinem Großvater keinen Schaden zugefügt hatte. Im Gegenteil, der Alte war kurze Zeit später wieder aufgewacht – ausgeruht und guter Laune –, hatte nach einem anständigen Frühstück verlangt und schien sich nicht zu erinnern, wie schlecht es um ihn bestellt gewesen war.

Erst zwei Wochen später ging es wieder los: Appetitlosigkeit, Verwirrtheit und schlechter Schlaf, aber Jenny mit ihrem Zaubertrank war nicht mehr zur Stelle. Max saß stundenlang neben seinem Großvater und ließ sich mit Ilse anreden.

»Willy«, sagte Max so sanft er nur konnte, »ich bin ja bei dir. Du bist nicht allein.«

»Wie schön, dass du gekommen bist«, sagte der Alte. »Wir bleiben jetzt aber zusammen, das musst du mir versprechen, Ilse!«

»Ja«, sagte Max, »Ehrenwort.«

Der Großvater lächelte glücklich, schloss die Augen und schlief ein. Max konnte ihn beruhigt allein lassen.

Als er zwei Stunden später nach der Hand des Alten fasste, war sie kühl und schlaff. Auch ohne auf diesem Gebiet Erfahrung zu haben, wusste Max sofort, dass der Großvater mit seinem Latein am Ende war.